일상에 대화를 더하다

오민선

일상에 대화를 더하다

발행	|	2024년 3월 30일
저자	|	오민선
디자인	|	어비, 미드저니
편집	|	어비
펴낸이	|	송태민
펴낸곳	|	열린 인공지능
등록	|	2023.03.09(제2023-16호)
주소	|	서울특별시 영등포구 영등포로 112
전화	|	(0505)044-0088
이메일	|	book@uhbee.net

ISBN | 979-11-93116-62-3

www.OpenAIBooks.shop

일상에 대화를 더하다

오민선

목차

머리말

미래의 대화는 어떤 형태일까요? 미래의 대화는 예술 브랜드를 통해 이루어질 것입니다.

예술 브랜드는 일상을 바라보는 새로운 시선을 제시하고, 제품을 통해 대화를 만들어줍니다. 예술 브랜드의 제품들은 우리의 일상에 새로운 의미를 부여하고, 생각할 거리를 제공합니다. 이러한 제품들은 사람들의 대화를 이끌어내고, 서로의 생각을 나누는 기회를 제공해 사람을 이어주는 역할을 하게 됩니다.

이 책에서는 예술 브랜드가 일상 대화에 어떻게 기여할 수 있는지, 독특한 공간 스토리로 세계적인 브랜드가 된 Gentle Monster와 세계적으로 엄청난 팬덤을 지닌 BTS의 구체적인 사례를 통해 살펴봅니다.

저자 소개

저자 오민선은 세상을 보이는 그대로 받아들이지 않고
새로운 시선으로 바라보는 것을 좋아하는 평범하지만, 꼭
그렇지만은 않은 사람이다. 일상 속 물건인 의자가
단순한 의자이며, 펜이 단순한 펜이라는 것에서 벗어나
다른 일상을 만들어 가길 원한다.
그녀는 공간에 대한 힘을 믿으며 공간의 변화가 일상을
변화시킬 수 있다는 생각으로 VMD 과정을 수료했고
공간과 예술에 대해 공부하며 감각을 키우고 있다.
현재는 영상 콘텐츠를 제작하고 있으며 자신의
아이디어를 담아 생각을 공유하고 소통하고 있다.

01
일상에 대화를 더하다

- 의미와 가치의 시대

현대 사회에서의 소비 행동은 지속적인 변화를 겪고 있습니다. 과거에는 소비자들이 단순한 실용성과 경제성을 중시하여 제품을 선택했지만, 지금은 그 변화의 중심에 의미와 가치가 있습니다. 이는 다양한 이유로 이뤄진 변화들의 총합으로 해석할 수 있습니다.

첫째, 기술의 발전과 정보의 증가로 소비자는 더 많은 선택지를 마주하게 되었습니다. 이로 인해 단순한 필요를 넘어, 각 제품이나 브랜드가 전달하는 의미와 가치에 대한 탐구가 높아졌습니다. 둘째, 사회적 연결성의 증가로 사람들은 제품을 통해 자신의 가치관을 표현하고 공유하고자 합니다. 이는 제품이나 브랜드가 가지는 의미가 소비자의 정체성과 직결되어 있다는 것을 의미합니다.

이러한 맥락에서 현대 사회에서는 "왜 이 제품을 선택해야 하는가?"라는 의문에 대한 답으로 그 제품이나 브랜드가 전하는 의미와 가치가 더 중요시되고 있습니다. 예술 브랜드는 이러한 변화를 읽고, 제품을 디자인할 때 자체적인 가치관과 철학을 담아내어 사람들에게 더 깊은 감동과 영감을 전하려 노력하고 있습니다.

사람들은 이제 단순히 제품을 소비하는 것을 넘어, 그 제품이 전하는 이야기와 가치에 공감하며 브랜드와의 유대감을 형성하고 싶어합니다. 이는 예술 브랜드가 대중의 일상에

진정한 대화와 소통을 더한다면, 브랜드가 더 큰 성공을 거둘 수 있는 기회를 제공한다는 것을 의미합니다

예술 브랜드는 주로 소품이나 가구와 같은 생활 속에서 자리잡은 제품을 통해 의미와 가치를 전달합니다. 예를 들어, 가구에는 디자이너의 철학이 담겨 있을 뿐만 아니라 그 가구가 만들어진 배경 이야기, 소재 선택에 대한 고민 등이 사람들에게 전해집니다. 이를 통해 제품이 갖는 의미가 더욱 풍부해지며, 일상에서 이러한 제품을 통해 대중 간에 의미 있는 대화가 이뤄지고 있습니다.

- 예술 브랜드의 등장: 의미와 가치를 담은 제품

예술과 예술 브랜드는 서로 다른 개념입니다. 예술은 예술가가 자신의 생각과 감정을 표현하는 수단으로, 자유롭고 창의적인 성격을 가지고 있으며, 예술가의 개성과 독창성이 중요합니다.

반면에 예술 브랜드는 예술과 브랜드를 결합하여 새로운 가치를 창출하는 것을 목적으로 합니다. 예술 브랜드는 예술가의 작품을 바탕으로 제품을 디자인하거나, 예술가와의 협업을 통해 새로운 제품을 출시할 수

있습니다. 예술 브랜드는 대중적인 요소를 가지고 있으며, 대중들에게 쉽게 다가가고, 대중들의 관심을 끕니다.
예술 브랜드는 라이프스타일 브랜드와 같이 자신의 일상 속에서 예술을 접할 수 있다는 점이 특징입니다. 예를 들어, 패션 브랜드에서는 예술 작품을 활용하여 제품을 디자인하거나, 예술가와의 협업을 통해 새로운 제품을 출시합니다. 화장품 브랜드에서는 예술 작품을 활용하여 제품의 패키지를 디자인하거나, 예술가와의 협업을 통해 새로운 제품을 출시합니다.
현대 사회에서의 소비 패턴은 물질적인 소비에서 벗어나, 제품이 대중의 삶에 더 깊은 의미와 가치를 부여하는 경향을 보이고 있습니다. 이로써 예술 브랜드는 물건 판매를 넘어 예술과 문화를 통한 소통과 대중의 감성 경험을 중시하는 새로운 패러다임을 제시하고 있습니다.

- 예술 브랜드의 철학

예술 브랜드의 철학은 브랜드가 가지는 의미와 가치를 뚜렷하게 전달하고, 대중의 깊은 연결을 이끌어내는 핵심적인 원칙을 담고 있습니다.
1.의미와 가치 전달의 중요성
현대 사회에서는 물질적 풍요보다는 의미와 가치에 더 큰 중요성을 부여하는 트렌드가 강조되고 있습니다.

브랜드는 제품을 통해 대중에게 어떠한 의미와 가치를 전달할 수 있는지에 대한 고민이 필요합니다. 이는 사람들이 브랜드를 선택하고자 하는 동기에 큰 영향을 미치며, 브랜드의 철학이 이를 이끌어내는 열쇠 역할을 합니다.

그 원인으로는 첫번째, 복잡해진 현대 사회에서 사람들은 더 깊은 의미와 가치를 추구하기 때문입니다. 예전과 달리 현대 사회에서는 다양성과 복잡성이 증가하면서 사람들은 단순한 소비보다는 제품이나 브랜드와 공감하고 공유할 수 있는 의미와 가치를 찾고 있습니다. 이는 브랜드가 단순히 제품을 판매하는 것을 넘어 대중과의 대화를 통해 더 깊은 연결을 형성해야 한다는 필요성을 제기하고 있습니다.

또한 두번째 이유는 사람들은 브랜드에 개성과 신념을 기대하기 때문입니다. 브랜드가 가진 독특한 철학은 사람들이 자신의 개성과 신념을 표현하고자 할 때 브랜드를 선택하는데 큰 영향을 미칩니다. 의미와 가치가 담긴 제품은 사람들에게 브랜드와의 정체성을 공유할 수 있는 공간을 제공하며, 이는 대중과의 지속적인 대화의 시작점이 됩니다.

2. 예술과 문화의 확산

예술 브랜드의 철학은 예술과 문화를 적극적으로 수용하고 확산시키는 것에 주안점을 두고 있습니다.

브랜드는 단순한 상품 판매를 넘어 예술과 문화를 통해 대중과의 깊은 유대감을 형성하고자 노력합니다.

예술과 문화의 수용

예술 브랜드는 다양한 형태의 예술과 문화를 수용하여 제품, 마케팅, 그리고 매장 경험에 반영합니다. 이는 브랜드가 현대 예술과 문화와 함께 성장하고자 하는 의지를 대변하며, 이를 통해 사람들에게 브랜드와의 상호작용이 예술적이고 문화적인 경험으로 이어질 수 있음을 암시합니다.

문화 이슈에 민감한 대응

브랜드는 사회적, 문화적 이슈에 민감하게 대응하여 자신의 목소리를 내고자 합니다. 문화 이슈에 적극적으로 참여하고 사람들과 소통하는 것은 브랜드의 존재감을 강화하며, 대중에게 브랜드와의 연결을 더욱 강화시킵니다.

3. 철학의 구체적 표현

브랜드의 철학은 구체적인 방식으로 제품, 마케팅, 그리고 매장 디자인에 반영됩니다. 이는 브랜드가 대중에게 전하고자 하는 의미와 가치를 더욱 명확하게 보여주는 방법입니다.

제품 라인

브랜드의 철학은 제품 라인을 통해 명확하게 드러납니다. 각 제품은 브랜드의 의미와 가치를

표현하는 동시에, 사람들에게 브랜드의 철학을 체험할
수 있는 수단으로 작용합니다.

감성적인 스토리텔링

 브랜드는 감성적인 스토리텔링을 통해 철학을
전달합니다. 제품이나 브랜드의 이야기는 대중과
감정적으로 연결되어, 의미 있는 대화의 시작을
이끌어냅니다.

특별한 공간 디자인

매장 디자인은 브랜드의 철학을 고스란히 반영합니다.
매장은 사람들이 매장에서 브랜드의 철학을 체험하고
느낄 수 있도록 디자인되어야 합니다. 공간의 분위기,
미술 작품의 전시, 그리고 특별한 체험 공간은 예술과
문화를 향한 브랜드의 헌신을 강조하며, 사람들에게
브랜드와의 상호작용을 더욱 풍부하게 만듭니다.

4. 예술 브랜드의 영향력 확대

이러한 철학은 예술 브랜드의 영향력을 확대시킵니다.
사람들은 단순히 제품을 선택하는 것이 아니라, 그
뒤에 숨겨진 의미와 철학을 고려하여 브랜드를
선택하게 됩니다. 이는 브랜드의 긍정적 이미지와
사람들 간의 연결을 강화시킵니다.

5. 예술 브랜드의 사회적 역할

예술 브랜드의 철학은 단순한 상업적인 목적을 넘어
사회적인 역할을 수행합니다. 브랜드는 예술과 문화를

통해 대중이 접하지 못했던 새로운 경험을 제공하고
사회에 긍정적인 변화를 이끌어내는 책임을 가지며,
사람들에게 사회적 가치를 제공합니다.
이처럼 예술 브랜드의 철학은 단순한 비즈니스 전략을
넘어 브랜드의 정체성과 사회적 책임을 함께
고민하고자 하는 브랜드의 의지를 대표합니다.

- 예술에 대한 정의

그렇다면 예술은 무엇일까요? 우리는 일상생활에서
예술이라는 단어를 자주 사용합니다. 하지만 예술이
무엇인지 정확하게 정의하기는 쉽지 않습니다. 예술은
시대와 지역에 따라 다양한 의미를 가지고 있기
때문입니다.
예술의 본질은 새로운 시각을 제공하는 것이라고 말할 수
있습니다. 예술은 기존의 관념을 뒤엎고, 새로운 시각을
제시함으로써 우리에게 새로운 세상을 보여줍니다.

팝아트의 거장 앤디워홀은 '예술은 당신이 일상을
벗어날수 있는 모든것이다.'라고 말했습니다. 이는 예술이
우리의 일상과 밀접하게 연관되어 있다는 것을
의미한다고 볼 수 있습니다. 예술은 우리가 일상에서

느끼는 감정을 자신만의 방식으로 표현하고, 새로운 시각을 제공하는 것입니다.

그러므로 예술은 우리의 삶에 큰 영향을 미칩니다. 예술을 통해 우리는 새로운 아이디어를 얻고, 창의성을 발휘할 수 있습니다. 또한, 예술을 통해 우리는 삶의 여유를 찾고, 힐링을 할 수 있습니다.

예술은 우리에게 새로운 시각을 제공함으로써 세상을 더 깊이 이해하고, 삶의 의미를 찾도록 도와줄 수 있습니다. 새로운 경험을 통해서도 예술이 탄생할 수 있다는 점에서 예술은 우리 삶의 가능성을 넓혀줍니다. 또한, 예술을 통해 우리는 삶의 여유를 찾고, 힐링을 할 수 있습니다. 예술은 우리의 삶을 더욱 풍요롭게 만들어주는 중요한 요소 중 하나입니다.

예를들어, 여행을 통해 새로운 문화와 풍경을 경험할 수 있는데 이 경험은 우리의 시각을 확장하고, 새로운 예술적 영감을 불러일으키기도 합니다. 새로운 문화를 경험하고 그 문화를 바탕으로 새로운 시선과 경험을 얻었다면 그것도 예술로 표현됩니다. 또한 사랑, 우정, 상실과 같은 삶의 중요한 경험은 우리의 감정을 깊게 하고, 예술적 표현으로 이어질 수 있습니다

▶ 앤디워홀(Andy Warhol)

예술은 당신이 일상을 벗어날 수 있는 모든것이다.

(Art is anything you can get away with.)

▸ 앤디워홀(Andy Warhol)

예술가는 사람들이 가질 필요가 없는 것들을 생산하는 사람이다.

(An artist is somebody who produces things that people don't need to have.)

▸ 살바도르 달리(Salvador Dali)

진정한 예술가는 영감을 받는 사람이 아니라 다른이들에게 영감을 주는 사람입니다.

(A true artist is not one who is inspired, but one who inspires others.)

▸ 헨리 무어(Henry Moore)

예술은 당신이 무엇을 보는가가 아니라 어떻게 보는가에 관한 것이다.

(Art isn't about what you see, it's about how you see it.)

▸ 에릭 프롬(Erich Fromm)

예술은 무엇보다도 우리에게 새로운 눈을 열어주고, 세계를 더 깊이 이해할 수 있도록 도와준다.

(Above all, art opens us up to new eyes and helps us understand the world in depth.)

▸ 루이스.I.칸(Louis I Kahn)

예술의 창조는 욕구를 충족하는 것이 아니라 욕구를 창조해 내는 것이다..

(The creation of art is not the fulfillment of a need but the creation of a need.)

▸ 마르크 샤갈(Marc Chagall)

예술에 대한 사랑은 삶의 본질 그 자체이다.

(Love for art is the essence of life itself.)

▸ 르누아르(Le noir)

예술은 감성이다.

예술이 설명이 필요하다면 그건 더이상 예술이 아니다.

(Art is about emotion. If art needs to be explained it is no longer art.)

- 공간의 역할과 중요성

인간에게 있어서 공간은 단순한 물리적인 존재가 아닌, 감정과 경험, 삶의 품질에 큰 영향을 미치는 중요한 측면입니다. 공간이 가지는 에너지와 분위기는 우리의 일상에 깊은 영향을 끼칩니다. 공간은 우리에게 휴식과 힐링을 제공하고, 소통과 교류를 촉진하며, 창조와 생산을 지원합니다. 깨끗하고 쾌적한 환경을 유지하고, 편안한 공간을 조성하는 것은 삶의 질을 향상시키는데 큰 도움이 됩니다.

특히, 가장 개인적이며 많은 시간을 보내는 주거공간은 이러한 공간의 중요성이 더욱 두드러집니다. 주거공간의 디자인이 삶에 미치는 영향은 상당히 대단합니다. 쾌적하고 아름다운 주거환경은 편안함과 안정감을 제공하며, 일상의 스트레스로부터 해방될 수 있는 기회를 제공합니다. 또한, 주거공간은 우리의 취향과 선호도를 반영하여 개성 있는 삶을 추구할 수 있는 기반이 됩니다. 그러므로 공간은 개인이나 집단의 생활 방식, 가치관, 성향 등을 고려하여 환경을 조성해야 합니다. 여기에는 주거 공간 뿐만 아니라 업무 공간, 상업 공간, 문화 공간 등 모든 종류의 환경에 구분을 두지 않습니다. 하지만 일상을 담고 있는 주거공간은 개인의 삶에 직접적으로 관여하여 보다 풍요로운 경험과 만족감을 이뤄 삶의 변화를 이루는 기회가 될 수 있습니다.

- 삶의 변화를 위한 일상공간의 변화

인간은 공간 속에서 시작되어 삶의 대다수를 보내고 있습니다. 공간은 인간의 삶에 중요한 영향을 미치며, 공간의 변화는 삶의 변화로 이어질 수 있습니다. 특히 주거공간은 우리의 일상을 가장 직접적으로 형성하는 장소로, 이는 주거환경이 우리의 감성과 삶의 질에 직접적인 영향을 미친다는 의미를 갖습니다. 예술 브랜드가 이러한 주거공간에 주목하는 이유는, 주거환경이 우리의 삶에 미치는 영향이 크기 때문입니다.

우리는 집에서 많은 시간을 보내며 그곳에서 안락함과
안정감을 찾습니다. 따라서 주거공간을 아름답고
예술적으로 꾸미면, 그곳에서 느끼는 기분과 삶의
만족도가 상승하게 됩니다. 이를 위해 예술 브랜드는
다양한 수단을 동원합니다. 독특하고 아름다운
아트워크를 벽에 걸거나, 예술가와의 협업을 통해
오리지널 가구를 만들기도 하며, 디자인을 통해 시선을
끌기도 합니다. 이러한 노력은 소품에 예술적 감각을
녹여내어 우리의 주변을 미적으로 풍요롭게
만들어줍니다.

주거공간을 향상시키는 데 있어 소품과 제품은
핵심적인 역할을 합니다. 이들을 통해 예술 브랜드는
주거환경에 의미와 메시지를 불어넣을 뿐만 아니라,
개별적인 감성을 반영할 수 있습니다. 주거공간은
이러한 소품과 제품을 통해 메시지를 전달하고, 고유한
감성을 부여받아 공간의 가치를 높일 수 있습니다.

미술 작품, 조형물, 특별한 디자인의 가구와 소품들은
사람들의 가치관과 감성을 도출하여 주거환경을 예술
공간으로 변화시킬 수 있으며 이러한 주거공간의
변화는 결국 일상의 변화를 가져옵니다. 아침에
일어나는 순간부터 잠들기까지, 주변에 예술의
산물들이 둘러싸인 공간에서 보내는 시간은 보다

의미있고 풍요로운 삶을 만들어내며, 이를 통해 예술 브랜드는 우리의 삶에 새로운 차원과 함께 삶의 변화를 제공합니다.

개인의 일상이 행복해야, 일상 밖의 공간에서도 행복을 누릴 수 있습니다. 주거공간은 개인의 일상에 큰 영향을 미치는 곳으로, 여기에서 느끼는 행복이 일상의 품격을 높일 수 있습니다. 일상에서의 행복이 중요한 이유는 일상이 삶의 대부분을 차지하기 때문입니다. 주거공간이 행복을 심어주는 곳이라면, 일상의 모든 순간이 더 의미 있고 만족스러워집니다. 이런 이유로 예술 브랜드는 주거공간을 예술적으로 디자인해 개인의 삶을 더욱 풍요롭게 만들어가는 것에 사명감을 더합니다.

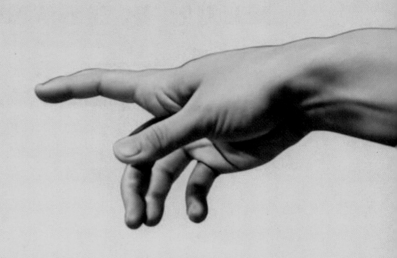

02
메시지의 힘: 대화를 잇다

- 대화의 단절시대

우리는 물리적 거리의 증가, 가치관의 다양성, 디지털 기기의 과도한 사용 등으로 인해 대화가 단절되는 시대를 살아가고 있습니다. 이러한 현상은 다양한 측면에서 소통의 어려움을 야기하고 있습니다.

물리적 거리의 증가

현대 사회에서는 이동성이 높아져 사람들 간의 물리적 거리가 증가하고 있습니다. 급격한 도시화와 교통수단의 발전으로 인해 사회 구성원들은 더 넓은 지역을 이동하며 살아가고 있습니다. 이는 가족, 친구, 이웃과의 직접적인 소통 기회를 줄이고 있습니다.

예를 들어, 과거에는 이웃과 함께 밥을 먹거나, 친구들과 놀이터에서 놀며 소통하는 경우가 많았습니다. 하지만 오늘날에는 많은 사람들이 도시로 이주하여 핵가족을 이루거나, 아파트에 거주하면서 이웃과의 교류가 어려워졌습니다. 또한, 직장이나 학교 등에서 만난 사람들과도 물리적 거리가 멀어져, 대면 소통의 기회가 줄어들고 있습니다.

가치관의 다양성

현대 사회는 다양성이 존중되고 인정되는 시대로 변모하고 있습니다. 이로 인해 각 개인이 지니는 가치관과 신념이 다양화되고 있습니다. 이는 의사소통의

어려움을 야기할 수 있으며, 서로 간에 공감과 이해가
어려워짐을 이야기 하고 있습니다.

예를 들어, 과거에는 대부분의 사람들이 비슷한 가치관을
가지고 있었기 때문에, 공통의 관심사를 가지고 대화를
나누는 것이 비교적 쉬웠습니다. 하지만 오늘날에는
다양한 가치관을 가진 사람들이 공존하고 있기 때문에,
서로 다른 가치관을 가진 사람들과 대화하는 것이
어려워졌습니다.

디지털 기기의 과도한 사용

디지털 기기의 보편화로 소셜 미디어 등을 통한 가상의
소통이 늘어나고 있습니다. 그러나 이러한 가상 소통은
현실에서의 직접적인 대화와는 차이가 있습니다. 디지털
기기의 활용이 증가함에 따라 실제 대면 소통이
감소하고, 사람들은 디지털 화면을 통해 소통하는 경향이
있습니다.

예를 들어, 과거에는 친구들과 만나서 대화를 나누거나,
가족들과 함께 시간을 보내는 경우가 많았습니다. 하지만
오늘날에는 많은 사람들이 스마트폰을 통해 소셜
미디어를 사용하면서, 현실에서의 직접적인 소통이
줄어들고 있습니다.

이처럼 물리적 거리의 증가, 가치관의 다양성, 디지털
기기의 과도한 사용 등으로 인해 대화가 단절되는 현상이
심화되고 있습니다. 이러한 현상은 다양한 측면에서

소통의 어려움을 야기하고 있으며, 사회 전반의 갈등과
분열을 심화시킬 수 있습니다

- 메시지의 중요성

이러한 대화의 단절시대에서 메시지의 역할은 더욱
중요해집니다. 예술은 메시지를 전하는 수단으로, 다양한
매체를 통해 다양한 가치관과 다양성을 이해하고
공감하는 다리 역할을 수행합니다. 강력한 메시지는
물리적 거리, 가치의 다양성, 디지털 기기 사용 등으로
어려워진 대화의 기회를 창출하며, 예술 브랜드에게
대중과의 의미 있는 상호작용을 위한 필수적인 수단이
됩니다.
첫째로, 메시지는 갈등과 분열을 해소하며 다양성을
이해하고 공감하는 데에 큰 역할을 합니다. 다양한 문화,
가치관, 경험을 담은 예술 작품은 사람들에게 새로운
시각과 철학을 제시합니다. 이를 통해 예술은 다양성에
대한 이해를 깊게 뿌리내려 소통의 기반을 다지게
됩니다. 예를 들어, 서로 다른 문화적 배경을 가진
예술가들이 협업한 작품은 다양성을 존중하고 이해하는
데 도움을 줄 것입니다.

둘째로, 메시지는 어려워진 대화의 기회를 창출합니다. 메시지를 통해 새로운 시각과 철학을 제공하여 소통의 기반을 다지며 감성적이고 표현력이 풍부한 예술 작품은 말로 표현하기 어려운 감정이나 주제를 다룹니다. 이는 사람들이 감정적인 공감을 일으키며 대화를 시작할 수 있는 계기가 됩니다. 예를 들어, 사회적 갈등이나 감성적인 주제를 다룬 미술 작품은 관객들 간에 토론과 이야기를 유도하게 됩니다.

마지막으로, 예술 브랜드는 사람들과의 의미 있는 상호작용을 위해 메시지를 활용합니다. 브랜드가 전달하는 강력한 메시지는 사람들과 감정적으로 연결되게 하여 브랜드에 대한 신뢰를 증진시키고 긍정적인 경험을 형성합니다. 예를 들어, 브랜드가 특정 메시지를 통해 사회적 책임을 강조한다면, 사람들은 그 브랜드를 선택함으로써 이러한 가치에 공감하고 참여하게 됩니다.

이처럼 메시지는 예술 브랜드가 대중과 강력한 상호작용을 이룰 수 있는 플랫폼으로서 핵심적인 역할을 합니다. 사람들 사이의 연결을 강화하며, 성공적으로 상품과 메시지를 전달하는 데에 있어 중요한 역할을 한다는 것을 강조합니다.

- 메시지의 특징

강력하고 효과적인 메시지를 만들기 위해서는 여러
중요한 특징들이 필요합니다.
첫번째로 메시지는 간결하고 명확해야 합니다.
메시지는 간결하고 명확하게 전달되어야 하며 너무
많은 정보나 복잡한 문장은 피해야합니다. 이는
사람들이 메시지를 이해하는 데 어려움을 줄 수 있기
때문입니다. 반면에 간결하면서도 명확한 표현은
사람들의 빠른 이해를 돕고 기억에 남게 만들 수
있습니다.
두번째로 메세지는 공감과 감동을 줄 수 있어야
합니다.
메시지는 사람의 감정에 다가가야 합니다. 강렬한
감정을 자극하고 감동을 주는 메시지는 대중의 강한
연결을 형성할 수 있습니다. 브랜드가 사람의 감정적인
반응을 일으킬 수 있으면, 그 브랜드는 대중의 기억에
오랫동안 남게 될 것입니다.
세번째로 지속 가능한 영향력을 가져야 합니다.
메시지는 일시적인 효과뿐만 아니라 장기적으로
사람들에게 영향력을 유지해야 합니다. 지속적으로
사람들의 마음에 남아 브랜드에 대한 긍정적인 인식을

유지하면, 그 브랜드는 경쟁에서 더욱 강력한 위치에
서게 됩니다.

네번째로 타깃 대상 고려해야 합니다.

메시지는 해당 브랜드의 타깃 대상을 고려하여
개발되어야 합니다. 타깃 대상의 특성과 가치관에
부합하는 메시지가 브랜드와 사람들 간의 상호작용을
강화합니다.

이러한 특징들을 고려하여 개발된 메시지는 브랜드의
목표를 달성하는데 기여하며, 사람들과의 긍정적인
상호작용을 촉진합니다.

- 메시지의 표현: 공간

메시지의 표현은 브랜드가 사람들에게 전하고자 하는
의미와 감정을 공간을 통해 전달하는 것에 큰 중요성이
부여됩니다. 공간은 사람들과 브랜드 간의 상호작용이
일어나는 장소로, 이를 통해 브랜드의 메시지가 가장
강력하게 전달됩니다.

첫 번째로, 공간은 브랜드의 정체성과 철학을
시각적으로 표현하는 수단으로 기능합니다. 브랜드의
예술적 감성과 가치가 공간 디자인에 반영되면,

사람들은 그 공간에서 브랜드의 독특한 정체성을
체험하게 됩니다. 이는 사람들이 브랜드에 대한
긍정적인 인식을 형성하는 데 기여합니다.

두 번째로, 공간은 사람들과 브랜드 간의 감정적
연결을 강화하는데 기여합니다. 감성적인 디자인과
특별한 공간 배치는 사람들에게 즐거움과 편안함을
제공하면서, 동시에 브랜드가 전하고자 하는 감정을
공유하는 경험을 제공합니다. 이는 대중이 브랜드와의
상호작용을 기억에 남게 하며, 브랜드 로열티를
증진시킵니다.

또한, 공간은 브랜드의 메시지를 쉽게 이해하고
사람들과 소통할 수 있는 매개체로 작용합니다.
효과적인 공간 디자인은 브랜드의 메시지를 명확하게
전달하면서도 사람들의 창의성과 상상력을 자극합니다.
이는 사람들이 브랜드의 가치와 의미를 더 깊이
이해하게 하며, 브랜드와의 대화를 유도합니다.

- 메시지의 표현: 스토리텔링

브랜드의 이야기를 통해 메시지를 전달하는
스토리텔링은 사람들이 감정적으로 연결되는 강력한
수단입니다. 이야기를 통해 전달되는 메시지는 말보다

더 오래 기억되며, 감정과 경험을 함께 전달함으로써
사람들에게 브랜드에 대한 긍정적인 인식을
형성합니다. 브랜드의 역사, 제품 개발 이야기 등을
통해 대중은 브랜드에 대한 깊은 이해와 공감을 형성할
수 있습니다. 예를 들어, 스토리가 담긴 공간이라면
사람들은 공간스토리를 경험함에 있어 일상에서 벗어나
새로운 세상을 만나는 경험을 하게 됩니다.
두 번째로, 스토리텔링은 복잡한 브랜드 메시지를
사람들에게 더 효과적으로 전달할 수 있는 방법으로
작용합니다. 이야기는 정보를 쉽게 소비할 수 있도록
도와주며, 브랜드의 가치와 목표를 이해하기 쉽게
만듭니다. 사람들이 브랜드 이야기를 따라가면서
브랜드의 핵심 메시지를 더 깊이 이해하게 되고, 그로
인해 브랜드에 대한 신뢰도가 높아집니다
이러한 스토리텔링을 통해 사람들은 브랜드와의 관계를
더욱 개인적으로 느끼게 되고 브랜드 스토리가 개인과
어우러지면 이는 브랜드와 사람들 간의 긴밀한
유대감을 형성하는 데 도움을 줍니다.

- 메시지의 표현: 디자인

브랜드의 메시지를 시각적으로 표현하는 중요한 방법 중 하나인 디자인은 다양한 형태로 나타납니다. 특히, 단순한 제품의 획일화된 디자인에서 새로운 디자인으로의 전환은 대중에게 일상을 바라보는 새로운 시선을 제공합니다. 과거에는 많은 브랜드에서 제품의 디자인이 유사하고 획일화되어 있었습니다. 이러한 유사성은 소비자들이 브랜드 간에 구별하기 어렵게 만들었고, 제품 자체가 브랜드의 독특한 가치나 철학을 전달하기 어려웠습니다. 그러나 현대에는 다양성과 창의성이 강조되는 시대에 맞춰, 브랜드들은 제품 디자인에 새로운 접근을 취하고 있습니다.
새로운 디자인은 사람들에게 일상을 새롭게 경험하고 바라보게 만듭니다. 사람들은 브랜드의 제품을 통해 더 다양하고 특별한 경험을 즐길 수 있고 이는 단순히 제품을 소비하는 행위를 넘어, 브랜드와의 상호작용을 더욱 풍부하고 의미 있게 만들어줍니다.

새로운 디자인은 브랜드의 창의성과 독창성을 강조하여 사람들에게 더 긍정적인 메시지를 전달하고, 간결하면서도 독특하고 감각적인 디자인은 대중에게 브랜드의 예술적인 면모를 강조하며, 일상의 모습을

아름답게 변화시킵니다. 새로운 디자인은 평범했던
제품에 또 한번의 시선을 끌어 일상에 대화를 심어
주며 더 나아가 사람을 연결해줄 수 있는 요소가
되기도 합니다.

- 메시지의 표현: 제품

제품은 예술 브랜드가 사람들에게 전하고자 하는 핵심
메시지를 담는 핵심적인 매개체입니다. 이는 브랜드가
가치, 철학, 창의성을 구현하고 소비자와의 강력한
상호작용을 형성하는 중추적인 역할을 수행합니다.
제품의 디자인, 소재, 기능 등은 브랜드의 가치와
철학을 대중에게 전달합니다. 고급스러운 소재나
독특한 디자인은 사람들에게 제품을 통해 브랜드의
특별함을 느끼게 하며, 이는 브랜드와 사람들 간의
유대감을 강화합니다.

1. 소재의 심층적인 의미 해석
제품의 소재 선택은 브랜드가 전하고자 하는 가치와
직접적으로 연결됩니다. 고급 소재의 사용은 브랜드가
높은 수준의 품질과 세련미를 추구한다는 메시지를
사람들에게 전달할 수 있습니다. 또한, 친환경 소재의
채택은 브랜드가 환경적 책임감을 가지며 지속

가능성에 주의를 기울인다는 메시지를 담게 됩니다.
이를 통해 대중은 브랜드의 윤리적인 가치를 인식하게
됩니다.

2. 기능의 브랜드 철학과의 일치

제품의 기능은 브랜드의 철학과 일치해야 합니다.
브랜드가 혁신과 창의성을 강조한다면 제품의 독창적인
디자인이나 특별한 기능은 이를 강조하고 사람들에게
브랜드의 독특성을 경험할 수 있는 기회를 제공합니다.
기능은 사람들에게 브랜드의 가치와 미래 지향성을
직접적으로 보여주며, 이를 통해 대중은 브랜드가
제공하는 경험에 참여하게 됩니다.

03
메시지의 성공 사례

메시지의 효과적 전달은 브랜드의 성공에 결정적인 역할을 합니다. 몇몇 브랜드는 독특하고 강력한 메시지를 통해 사람들에게 강한 인상을 남기며 지속적인 성공을 거두고 있습니다. 성공적인 메시지는 강력한 브랜드 메시지를 전달하면서 동시에 사람들과 긍정적인 상호작용을 형성하여 브랜드의 인지도와 인기를 증가시키는 것입니다.

- Gentle Monster

2011 년에 한국에서 설립된 아이웨어 브랜드로 현재 전 세계 30 여개국 400 여개의 매장에 진출해 있으며 기업 가치는 1 조억원에 달합니다. Gentle Monster 는 창립자인 김한국 대표가 학생들이 자신만의 개성을 표현할 수 있는 아이템을 필요로 한다는 것을 느끼고, 독특하고 개성 있는 아이웨어를 만들기 위해 탄생했습니다..

Gentle Monster 의 핵심철학은 "세상을 놀라게 하라"로 매장에 가면 아이웨어스럽지 않은 공간을 연출합니다. 이는 독특하고 의미를 생각할만한 오브제가 마치 갤러리에 온 듯한 느낌을 줍니다. 무려 20m 정도에 달하는 자이언트 오브제가 시선을 끌기도 하고, 사람의 얼굴을 한 AI가 오묘한 느낌을 주기도 하며, 평범하지 않은 음악에 맞춰 춤을 추는 댄서들의 역동적인 움직임으로 독특한 분위기를 연출하기도 합니다. Gentle Monster는 단순히 안경을 넘어 공간과 스토리텔링을 통해 사람들에게 독특한 경험을 제공하는 데 주력하며 주기적으로 플래그십스토어 매장 컨셉을 바꿔 변화를 도모합니다. 브랜드의 메시지는 전통적인 안경 산업의 경계를 넘어서 디자인과 예술을 결합하여 차별화된 제품을 만들고자 하는 것입니다. Gentle Monster의 제품은 독특하고 미래지향적인 디자인이 특징이며 다양한 소재와 색상을 사용하여, 개성 있는 제품을 선보이고 있습니다.

또한 Gentle Monster는 안경을 단순한 시각 보조 도구가 아니라 일상을 특별하게 만드는 유니크한 예술 작품으로 바라보며, 사람들에게 새로운 시각과 경험을 제공하고자 합니다. 이러한 노력 덕분에 Gentle Monster는 글로벌 패션 브랜드로 성장하면서 독자적인 라이프 스타일을 만들어 가고 있습니다.
Gentle Monster는 그들의 제품을 통해 사람들에게 단순한 제품 이상의 경험을 제공하려는 데 그 목표가 있으며 그들은 전통적인 안경 브랜드에서 벗어나 독자적인 스토리텔링과 아트워크를 통해 소비자들에게 독특한 감각의 미학을 전하고자 노력하고 있습니다.
Gentle Monster 는 디자인과 예술, 경험을 결합하여
안경을 넘어선 특별한 세계를 제공하고자 하는
브랜드로 급부상하고 있습니다.
그리고 Gentle Monster 는 탬버린즈(Tambourins) 와
누데이크(Nudake) 두 개의 브랜드도 성공적으로
만들어내어 다양한 브랜드 포트폴리오를 통해 다양한
시장과 대중을 대상으로 한 제품을 선보이며 더 넓은
영역에서 성공을 거두고 있습니다.

- Gentle Monster의 공간 스토리

Gentle Monster 는 브랜드의 공간에도 독특한 스토리를
담고 있습니다. 그들의 매장은 특별한 테마와 이야기가
녹아있으며, 사람들에게 감각적인 경험을 제공합니다.
예를 들어, 특정 시대나 문화에 대한 영감을 받아
디자인된 제품과 함께, 매장 자체가 예술적이고
독창적인 공간으로 꾸며져 있기도 한데, 이는 제품뿐만
아니라 브랜드의 공간 자체에서도 고유한 스토리를
전달하고자 하는 노력으로 볼 수 있습니다. 이런
방식을 통해 사람들은 제품을 구매하는 것뿐만 아니라
브랜드의 세계관과 이야기에 참여하는 느낌을 받을 수

있게 됩니다. 또한 주기적으로 플래그십 스토어의 공간 스토리를 바꿔서 새로운 경험을 자극하고 있습니다.

- Gentle Monster BOLD 컬렉션 2차 팝업스토어

2023 년 4 월 28 일~5 월 14 일
위치: 성수동 레이어 41
BOLD 팝업스토어는 1966 년대 '9 EVENINGS :THEATRE AND ENGINEERING'라는 아트 프로젝트에서 영감을 받아 만들어졌습니다. 9 evenings 는 예술가와 과학자의 최초의 대규모 협업으로 그들의 협력은 기존 장비를 혁신적으로 변화시켜 많은 제품을 탄생시키는 계기가 되었습니다. 예를 들어, 빔 프로젝트와 무선 마이크와 같은 제품이 이 시기에 개발되었습니다.
이에 영감을 받은 Gentle Monster 는 대담하고 도전적인 의미를 가진 9 evenings 에 우주적인 요소를 섞어서 'GALAXY OF 9 EVENINGS'를 만들었습니다. 이 새로운 의미는 기존에 없던 새로운 볼드 라인을 탄생시켰고 당시 참여한 예술가의 이름을 볼드 컬렉션에 담은 제품을 만들기도 하며 그 뜻을 계승하였습니다.

BOLD 컬렉션 팝업스토어는 90년대 로테르담 하드코어 개버(Gabber) 문화를 음악에 맞춰 춤추는 하켄(Hakken) 댄서들의 역동적인 춤으로 맞이 합니다. 공간 컨셉은 은하가 탄생하는 과정에서 우연하게 마주한 초월적인 존재의 탄생에 대해 표현합니다. 사람형상의 자이언트 오브제가 초월적인 존재를 나타내고 그 아래에 깔려있는 구들이 은하를 상징하고 있습니다. 여기서 자이언트 오브제는 20m에 달하는 대형 오브제로, 주근깨를 표현하는 피부 디테일은 물론, 인체의 미세한 곡선 라인과 손가락의 주름등 피부의 세밀한 디테일을 살려 사람들의 시선을 끌었습니다.

팝업스토어는 아이웨어, 미식 그리고 공간으로 구성되어 있으며, 자이언트 오브제와 아이웨어에 은하를 상징하는 별 형상을 볼수 있으며, 음료 또한 은하에서 모티브를 얻어 공간컨셉에 통일감을 더합니다.

연출 방법

Gentle Monster 성수 볼드 컬렉션 팝업스토어는 거대한 초월적 존재를 연출하는 데 중점을 두었습니다. 팝업스토어 입구에는 높이 5m의 거대한 은하가 설치되어 있었으며, 내부에는 사람의 형상을 한 약 20m의 거대한 초월적 존재가 등장하며 이는 볼드 컬렉션의 탄생을 상징합니다. 팝업스토어의 내부는 블랙과 화이트로 단순하게 구성되어 있습니다. 이는 볼드 컬렉션의

강렬하고 대담한 디자인을 강조하기 위한 것이며
팝업스토어 곳곳에는 볼드 컬렉션의 제품이 전시되어
있었으며, 방문객들은 제품을 직접 착용하고 체험할 수
있습니다.

공간 스토리

입구

입구에는 거대한 은하가 설치되어 있습니다. 은하는 볼드
컬렉션의 탄생을 상징하는 공간입니다. 방문객들은
은하를 통해 볼드 컬렉션의 세계로 들어서게 됩니다.

내부

내부에는 사람의 형상을 한 거대한 초월적 존재가
등장합니다. 초월적 존재는 은하를 창조한 존재로, 볼드
컬렉션의 탄생을 상징합니다. 사람들은 초월적 존재를
통해 볼드 컬렉션의 강렬하고 대담한 디자인을 경험할 수
있습니다.

체험 공간

팝업스토어 곳곳에는 볼드 컬렉션의 제품이 전시되어
있습니다. 사람들은 제품을 직접 착용하고 체험할 수
있으며 이를 통해 사람들은 볼드 컬렉션의 제품을 보다
실감 나게 경험할 수 있습니다.

Gentle Monster 성수 볼드 컬렉션 팝업스토어는 강렬하고
대담한 볼드 컬렉션의 디자인을 효과적으로 표현한
공간입니다. 거대한 초월적 존재를 연출하는 독특한 연출

방법과 블랙과 화이트로 단순하게 구성된 공간은 볼드 컬렉션의 강렬한 이미지를 더욱 부각시키는 역할을 합니다. 또한, 시림들이 제품을 직접 착용하고 체험할 수 있는 공간은 볼드 컬렉션의 제품을 보다 실감 나게 경험할 수 있도록 합니다.

- Gentle Monster 신사 플래그십 스토어

위치: 강남구 압구정로 10 길 23

신사 플래그십 스토어의 공간 컨셉은 'TIME – SLEEP'으로, 잠을 매개체로 이용해 타임슬립(time slip)현상을 만들어 나가는 상상의 스토리를 담고 있습니다. 여인의 꿈 속에 들어간 두 남자는 낯선 유토피아의 세계를 만나게 되고, 거대한 아트 오브제를 통해 타임슬립의 판타지를 표현해 현실에서 벗어나는 특별한 경험을 만들어줍니다.

1 층에는 뿌리채 뽑힌 진짜 소나무가 왁스칠을 하며 반복적인 움직임을 하고 있습니다. 이에 석고상이 지루함을 느껴 꾸벅 꾸벅 졸고 있는 모습을 보이는데, 이는 수면이라는 행위를 통해 시공간을 초월하는 세계로 빠져드는 준비를 하는 모습을 보입니다.

2 층으로 가면, 시간여행을 하던 중 시공간의 세계에
갇혀 타임슬랩에 빠져버린 석고상이 보입니다. 시간도
과거와 미래를 왔다갔다 움직이는데 이를 통해
타임슬랩에 갇힌 모습을 표현하고 있습니다. 매장의
한쪽 벽에는 타임슬랩에서 깨어나는 과정을 흑백 세상
속에 있는 컬러의 여성으로 보여주고 있습니다.

3 층.으로 가면 이성과 무의식 사이에서 벽을 갉아
먹으며 코끼리가 타임슬랩에서 깨어나는 과정을 볼 수
있습니다.

연출 방법

Gentle Monster 신사 플래그십스토어 'TIME - SLEEP'는
꿈속의 세계를 연출하는 데 중점을 두었습니다. 스토어의
내부는 몽환적인 분위기로 조성되어 있습니다. 스토어
곳곳에는 거대한 나무, 움직이는 오뚝이, 거꾸로 매달린
코끼리 등 모호하고 판타지적인 설치물이 배치되어
있습니다. 이러한 설치물은 방문객들이 꿈속의 세계에
들어온 듯한 느낌을 받도록 합니다.

공간 스토리

입구

입구에는 거대한 나무가 설치되어 있습니다. 나무는
꿈속의 세계로 들어가는 통로를 상징합니다. 사람들은
나무를 통해 꿈속의 세계로 들어서게 됩니다.

전시 공간

전시 공간은 꿈속의 세계를 연출하는 다양한 설치물로 구성되어 있습니다. 사람들은 설치물을 통해 꿈속의 세계를 경험할 수 있습니다.

체험 공간

체험 공간은 Gentle Monster 의 제품을 직접 착용하고 체험할 수 있는 공간입니다. 사람들은 체험 공간에서 제품을 착용하고, 자신의 모습을 거울에 비춰볼 수 있습니다. 이는 Gentle Monster 의 제품을 통해 자신을 표현할 수 있다는 것을 의미합니다.

Gentle Monster 신사 플래그십스토어 'TIME - SLEEP'는 꿈속의 세계를 통해 Gentle Monster 의 새로운 컬렉션을 효과적으로 표현한 공간입니다. 몽환적인 분위기의 공간 연출과 다양한 설치물은 Gentle Monster 의 새로운 컬렉션의 독특한 매력을 전달하는 데 기여했습니다.

- Gentle Monster 홍대 플래그십 스토어

위치 : 마포구 독막로 7 길 54

SACRIFICE 는 대지의 신과 그에 대한 의식을 스토리로 담고 있습니다. 정원에서 탄생한 '신의 눈'과 신에게 바치는 제물을 통해 보여지는 의식의 과정을 표현합니다.

홍대 플래그십 스토어는 1 층에 들어가면 무릎을 꿇고 있는 동상이 보이는데 이 동상은 신에게 눈알을 제물을 바치려고 합니다. 그러나 눈알은 아직 미완성의 모습으로 옆에 있는 기계가 눈알이 마르지 않도록 지속적으로 물을 부어주고 있습니다.

2 층으로 가면 제물을 바치는 과정을 미니어처 형태로 연출해 놓은 모습을 볼 수 있는데, 여러 사람들이 말(horse)을 제물로서 만드는 모습을 볼 수 있습니다. 여기서의 말(horse)은 제물로 바치는 것이 아니라 하나의 상징적인 요소로 표현되었습니다.

3 층으로 가면 1 층에서 본 미완성이던 눈알이 드디어 완전한 모습의 눈알로 탄생된 것을 볼 수 있습니다. 매장의 벽면에는 눈알을 제물로 바치는 과정을 벽화로 새겨 놓은 모습이 보입니다.

연출 방법

Gentle Monster 홍대 플래그십스토어 'SACRIFICE'는 제단을 연출하는 데 중점을 두었습니다. 스토어의 중앙에는 거대한 제단이 설치되어 있으며, 제단을 중심으로 공간이 구성되어 있습니다. 제단은 대지의 신에게 바치는 제물을 상징합니다.

스토어의 내부는 검은색과 흰색으로 단순하게 구성되어 있습니다. 이는 제단의 신성함을 강조하기 위한 것이며 스토어 곳곳에는 Gentle Monster 제품이 전시되어 있어 사람들은 제품을 직접 착용하고 체험할 수 있습니다.

공간 스토리

입구

입구는 제단으로 향하는 길을 연출합니다. 사람들은 입구를 통해 제단으로 향하는 여정을 시작하게 됩니다.

제단

제단은 대지의 신에게 바치는 제물을 상징합니다. 사람들은 제단을 통해 젠틀몬스터의 브랜드 가치를 경험할 수 있습니다.

전시 공간

전시 공간은 Gentle Monster 의 제품을 전시합니다. 제품은 제단을 중심으로 자연스럽게 배치되어 있습니다. 이는 Gentle Monster 의 제품이 자연스럽게 일상에 녹아들 수 있다는 것을 의미합니다.

체험 공간

체험 공간은 Gentle Monster 의 제품을 직접 착용하고
체험할 수 있는 공간입니다. 사람들은 체험 공간에서
제품을 착용하고, 자신의 모습을 거울에 비춰볼 수
있습니다. 이는 Gentle Monster 의 제품을 통해 자신을
표현할 수 있다는 것을 의미합니다.

Gentle Monster 홍대 플래그십스토어 'SACRIFICE'는
제단을 통해 Gentle Monster 의 브랜드 가치를 효과적으로
표현한 공간입니다. 거대한 제단을 연출하는 독특한 연출
방법과 검은색과 흰색으로 단순하게 구성된 공간은
Gentle Monster 의 브랜드 가치를 더욱 부각시켰습니다.
또한, 사람들이 제품을 직접 착용하고 체험할 수 있는
공간은 젠틀몬스터의 브랜드 가치를 보다 실감 나게
경험할 수 있도록 했습니다.

- Gentle Monster 미국 산호세 스토어

위치: <u>2855 Stevens Creek Blvd, Suite 1651, Santa Clara,
CA 95050, United States</u>
Gentle Monster 산호세 스토어 'MEMORY'는 기억의 영속성과
진정한 기억의 의미에 대해 질문을 던지는 공간입니다. 이
공간은 발달된 미래의 기술이 잊혀지는 기억을 복원해 줄 수
있다는 상상을 바탕으로 합니다.

기억을 점점 잃어가는 할머니는 기억 복원 장치를 통해 꿈에 그리던 어릴 적 친구인 당나귀를 만납니다. 초현실적이고 몽환적인 아름다움을 표현하는 인스톨레이션들은 할머니의 시간과 기억을 담아냅니다. 이 공간을 통해 우리는 기억이 어떤 의미를 지니는지, 그리고 그것을 영속시키기 위해 무엇을 할 수 있는지 생각해 볼 수 있습니다.

이 공간은 크게 세 가지의 테마로 구성되어 있습니다. 첫 번째는 '할머니의 방'입니다. 이 공간은 할머니의 기억과 추억이 담긴 공간으로, 할머니의 옷장과 침대, 그리고 기억을 담은 액자들이 전시되어 있습니다. 이 공간에서는 할머니의 기억과 추억을 느낄 수 있습니다.

두 번째는 '기억의 복원'입니다. 이 공간은 기억을 복원하는 공간으로, 기억 복원 장치와 당나귀가 전시되어 있습니다. 이 공간에서는 미래의 기술이 기억을 복원하는 모습을 상상할 수 있습니다.

세 번째는 '꿈의 공간'입니다. 이 공간은 할머니가 꿈을 꾸는 공간으로, 몽환적인 분위기와 함께 다양한 예술 작품들이 전시되어 있습니다. 이 공간에서는 할머니의 꿈과 상상력을 느낄 수 있습니다.

이 공간은 다양한 연출 방법을 사용하여 공간의 컨셉과 스토리를 전달하고 있습니다. 예를 들어, 공간의 조명과 색감은 할머니의 기억과 꿈을 표현하기 위해 사용되었으며, 공간의 구조와 소품들은 할머니의 기억과 꿈을 더욱 생생하게 전달하기 위해 사용되었습니다. 또한, 공간의 음악과 향기는

할머니의 기억과 꿈을 더욱 생생하게 전달하기 위해
사용되었습니다.
이 공간은 사람들에게 기억의 영속성과 진정한 기억의 의미에
대해 질문을 던지며, 사람들에게 새로운 경험을 제공하고
있으며, 사람들은 이 공간에서 할머니의 기억과 꿈을 함께
느끼며, 자신의 기억과 꿈을 되돌아보는 시간을 가질 수
있습니다.

- *Gentle Monster 싱가포르*
아이온 오차드 스토어

위치: 01-13 ION Orchard, 2 Orchard Turn, 238801 Singapore
Gentle Monster 싱가포르 아이온 오차드 스토어 'AWAKEN'은
데이터의 파편화와 재해석에 관한 미래의 스토리를 담고
있습니다. 디지털 공간에서 무분별하게 파생되는 이미지의
홍수 속에서, 인간은 자신의 자각을 통해 그 이미지들을
새롭게 창조해 냅니다.
이는 전체 공간에서 다양한 아트워크 영상과 설치물로
표현됩니다. 강렬한 색감의 대비와 소재의 조합으로
절제되면서도 섬세하게 계획된 공간은, 데이터의 혼란 속에서
인간의 자각을 강조합니다. 아트워크 영상으로 보이는 인간의
모습은, 데이터의 혼란 속에서 결국 자각을 통해 자신만의
질서를 만드는 주동자가 됨을 은유합니다.
공간 곳곳에 펼쳐진 개미와 눈, 로봇과 같은 설치물들은
새로운 질서로 재창조된 이미지로 표현됩니다. 이는 Gentle

Monster 가 추구하는 간결하면서도 파워풀한 리테일 경험을 보여줍니다. 오브제로서의 개미, 눈, 로봇의 각 설치물은 공간을 통해 사람들에게 데이터의 파편을 재해석한 새로운 이미지로 표현됩니다. 개미는 조직적인 협업과 창의성, 눈은 감각의 확장과 로봇은 기술과 상상력을 나타내어 사람들에게 새로운 질서의 가능성을 시사합니다.

싱가포르 아이온 오차드 스토어의 공간은 크게 세 가지의 테마로 구성되어 있습니다.

첫 번째는 '데이터의 파편화'입니다. 이 공간은 디지털 공간에서 무분별하게 파생되는 이미지의 홍수를 표현한 공간으로, 다양한 이미지와 텍스트가 전시되어 있습니다. 이 공간에서는 디지털 공간에서 무분별하게 파생되는 이미지의 홍수를 느낄 수 있습니다. 각종 아트워크와 설치물들은 데이터의 무질서한 흐름을 나타내며, 사람들의 주도적인 창조와 해석을 유도합니다.

두 번째는 '자각'입니다. 이 공간은 자신만의 '자각'을 통해 이미지를 새롭게 창조하는 공간으로, 다양한 아트워크와 설치물이 전시되어 있습니다. 이 공간에서는 자신만의 '자각'을 통해 이미지를 새롭게 창조하는 모습을 볼 수 있습니다.

세 번째는 '새로운 질서'입니다. 이 공간은 새로운 질서를 통해 이미지를 재창조하는 공간으로, 로봇과 같은

설치물이 전시되어 있습니다. 이 공간에서는 새로운
질서를 통해 이미지를 재창조하는 모습을 볼 수
있습니다.

이 공간은 다양한 연출 방법을 사용하여 공간의 컨셉과
스토리를 전달하고 있습니다. 예를 들어, 공간의 조명과
색감은 데이터의 파편화와 자각, 새로운 질서를 표현하기
위해 사용되었으며, 공간의 구조와 소품들은 이미지의
혼란과 재창조를 더욱 생생하게 전달하기 위해
사용되었습니다. 또한, 공간의 음악과 향기는 이미지의
혼란과 재창조를 더욱 생생하게 전달하기 위해
사용되었습니다.

이를 통해 사람들에게 디지털 공간에서 무분별하게
파생되는 이미지의 홍수와 자신만의 '자각'을 통해
이미지를 새롭게 창조하는 모습을 보여주며, 사람들에게
새로운 경험을 제공하고 있습니다. 디지털 공간에서
무분별하게 파생되는 이미지의 홍수와 자신만의 '자각'을
통해 이미지를 새롭게 창조하는 모습을 보며, 자신의
디지털 생활을 되돌아보는 시간을 가질 수 있도록
해줍니다.

- Gentle Monster 중국 샤먼 MIXC 스토어

위치: W107-109. W207-208, Mix City, No.99, Hubin East Road, Siming District, Xiamen

Gentle Monster 샤먼 MIXC 플래그십 스토어는 해체주의 미술에서 영감을 받아 디자인되었습니다. 스토어는 과감한 색감과 대비를 이루는 화이트 오브제들을 통해 자유로운 동선을 만들며 입체적인 공간 경험을 제공합니다.

1층의 거대한 키네틱 구조물 "ACCELATOR"는 앞 뒤로 움직이며 오브제 사이를 가로 지릅니다. "ACCELATOR"는 추상적이면서도 압도적인 움직임을 선보이며 매장을 방문한 고객들에게 흥미로운 감정을 선사합니다.

2층의 건축적 형태의 거대한 구조물은 Gentle Monster 의 제품을 바라보는 순간을 새로운 감각으로 표현합니다. 키네틱 구조물과 건축적 공간 속에서 감각적으로 존재하는 오브제의 결합으로 구현된 새롭고 다각적인 리테일 공간을 경험할 수 있습니다.

Gentle Monster 의 중국 샤먼 스토어는 크게 세 가지의 테마로 구성되어 있습니다.

첫 번째는 'ACCELATOR'입니다. 이 공간은 1층에 위치한 거대한 키네틱 구조물로, 앞 뒤로 움직이며 오브제 사이를 가로지릅니다. 이 구조물은 추상적이면서도 압도적인 움직임을 선보이며 매장을 방문한 고객들에게 흥미로운 감정을 선사합니다. 이 공간은 다양한 오브제를 사용하여 ACCELATOR 를 연출하였는데 예를 들어, ACCELATOR 는 금속과 유리로 만들어진 구조물로, ACCELATOR 의 움직임에 따라 다양한 빛과 그림자를 만들어냅니다. 또한, ACCELATOR 의 움직임에 따라 다양한 소리를 만들어내어 사람들의 감각을 자극합니다.

두 번째는 '건축적 형태의 거대한 구조물'입니다. 이 공간은 2 층에 위치한 건축적 형태의 거대한 구조물로, Gentle Monster 의 제품을 바라보는 순간에 대한 지속적인 연구를 통해 만들어진 공간입니다. 이 공간은 대담하게 전진하며 추상적인 움직임을 선보이는 키네틱 구조물과 건축적 공간 속에서 감각적으로 존재하는 오브제의 결합으로 구현된 새롭고 다각적인 리테일을 경험할 수 있습니다. 이 공간은 다양한 오브제를 사용하여 건축적 형태의 거대한 구조물을 연출하였습니다. 예를 들어, 건축적 형태의 거대한 구조물은 금속과 유리로 만들어진 구조물로, 다양한 형태와 크기로 구성되어 있습니다. 또한, 건축적 형태의 거대한 구조물은 ACCELATOR 와 마찬가지로 다양한 빛과 그림자를 만들어내며, 관객들의 감각을 자극합니다.

세 번째는 '미디어 아트'입니다. 이 공간은 3 층에 위치한 미디어 아트 공간으로, 다양한 미디어 아트 작품이

전시되어 있습니다. 이 공간은 ACCELATOR 와 건축적
형태의 거대한 구조물과 마찬가지로 다양한 오브제를
사용하여 미디어 아트를 연출하였습니다. 예를 들어,
미디어 아트는 영상과 조명, 음향 등을 사용하여 다양한
주제와 스토리를 전달하며, ACCELATOR 와 건축적
형태의 거대한 구조물과 함께 사람들의 감각을 자극하고
대중에게 새로운 경험을 제공합니다.

- *Gentle Monster의 성공 요인*

Gentle Monster 의 성공요인은 크게 다음과 같이 볼 수
있습니다.
새로운 경험을 제공하는 공간
Gentle Monster 는 단순히 제품을 판매하는 공간이 아니라,
새로운 경험을 제공하는 공간으로 대중에게
각인되었습니다. Gentle Monster 의 플래그십 스토어는
독특한 공간 스토리와 연출을 통해 사람들에게 새로운
경험을 제공했습니다. 이러한 공간은 사람들에게
브랜드에 대한 긍정적인 인식을 심어주고, 브랜드
충성도를 높일 수 있었습니다.
독특한 디자인과 아이덴티티

Gentle Monster 는 독특하고 개성 있는 디자인과
아이덴티티로 젊은 소비자들에게 큰 인기를 얻었습니다.
Gentle Monster 의 제품은 기존의 안경과는 차별화된
디자인과 색감으로 많은 사랑을 받았습니다. 또한, Gentle
Monster 는 독특한 브랜드 네이밍과 함께 "세상을 놀라게
하라."라는 메시지를 통해 자신만의 아이덴티티를
구축했습니다.

젊은 감각을 반영한 마케팅

Gentle Monster 는 젊은 감각을 반영한 마케팅을 통해 젊은
소비자들의 공감을 얻었습니다. Gentle Monster 는 SNS 를
적극적으로 활용하여 젊은 소비자들과 소통했습니다.
또한, 다양한 협업 제품을 출시하여 대중의 관심을
끌었습니다.

Gentle Monster 의 공간 스토리는 대중에게 다음과 같은
새로운 경험을 제공합니다.

현실과 환상의 경계를 허무는 경험

Gentle Monster 의 공간 스토리는 현실과 환상의 경계를
허무는 경험을 제공합니다. 예를 들어, 신사
플래그십스토어의 경우, 잠을 통해 현실과 환상의 경계를
허무는 이야기를 담고 있습니다. 이러한 스토리는
사람들에게 일상에서 벗어나 새로운 세계를 경험할 수
있는 기회를 제공합니다.

새로운 시작을 위한 희생과 의식의 경험

Gentle Monster 의 공간 스토리는 새로운 시작을 위한 희생과 의식의 경험을 제공합니다. 예를 들어, 홍대 플래그십스토어의 경우, 대지의 신에게 제물을 바치는 의식을 스토리로 담고 있습니다. 이러한 스토리는 사람들에게 새로운 변화를 위한 용기와 희생의 중요성을 일깨워줍니다.

이러한 새로운 경험을 통해 대중은 Gentle Monster 의 브랜드 메시지를 공감하고 가치를 부여하게 됩니다. 또한, Gentle Monster 의 공간을 통해 자신의 개성과 가치관을 표현할 수 있는 기회를 얻게 됩니다. 이는 Gentle Monster 의 브랜드 충성도를 높이고, 브랜드의 지속가능한 성장에 기여할 수 있게 되었습니다.

- BTS

BTS 는 2013 년 6 월 13 일에 데뷔해 현재까지 빌보드 차트에서 놀라운 기록을 세우고 있습니다. BTS 가 처음으로 빌보드 핫 100 차트 1 위를 차지한 노래는 "Dynamite"로 2020 년 8 월 30 일자 빌보드 핫 100 차트에서 1 위를 차지했습니다. 빌보드 핫 100 차트는 미국에서 가장 인기 있는 싱글 곡을 집계하는 차트로,

BTS 가 이 차트에서 1 위를 차지한 것은 한국 가수로는
최초입니다. 이 노래는 발매 직후부터 전 세계적으로 큰
인기를 얻었으며, 빌보드 핫 100 차트에서 3 주 연속
1 위를 차지하는 기록을 세웠습니다.
BTS 가 "Dynamite" 이후에 빌보드 1 위를 차지한 노래는
다음과 같습니다.
Life Goes On
(2020 년 11 월 20 일자 빌보드 핫 100 차트 1 위)
Butter
(2021 년 6 월 5 일자 빌보드 핫 100 차트 1 위)
Permission to Dance
(2021 년 7 월 23 일자 빌보드 핫 100 차트 1 위)
My Universe
(2022 년 9 월 10 일자 빌보드 핫 100 차트 1 위)
"Life Goes On"은 한국어로 된 노래로, 빌보드 핫 100
차트에서 2 주 연속 1 위를 차지하는 기록을 세웠고,
"Butter"는 영어로 된 노래로, 발매 직후부터 전
세계적으로 큰 인기를 얻으며, 빌보드 핫 100 차트에서
10 주 연속 1 위를 차지하는 기록을 세웠습니다. 또한
"Permission to Dance"도 영어로 된 노래로, 빌보드 핫 100
차트에서 7 주 연속 1 위를 차지하는 기록을 세웠습니다.

BTS는 이러한 빌보드 1위 기록을 통해 한국 가수로서의
위상을 한층 높였으며, 세계적인 인기를 얻는 그룹으로
자리매김했습니다.

또한 현재 SM, YG, JYP를 통틀어 빅히트가 가장 몸값이
높은 연예기획사로 자리매김하게 되었는데 빅히트의
시가총액은 5조 7,569억원으로 측정되고 있습니다.

빅히트의 몸값이 높은 이유는 BTS의 글로벌한 인기
때문이며 BTS는 빌보드 핫 100 차트에서 1위를 15번
차지하는 등, 한국 가수로는 독보적인 기록을 세운 것에
기인합니다.

BTS은 음악뿐만 아니라 사회적 메시지와 다양한
캠페인을 통해 세계적인 팬덤을 형성하고 있으며, 그들의
음악은 다양한 언어와 문화를 아우르며 세계 각지에서
사랑받고 있습니다.

BTS는 그들의 음악과 퍼포먼스를 통해 강력한 메시지와
스토리를 전달하여 글로벌한 팬 베이스를 형성하고
있습니다. 이들의 성공은 다양한 측면에서 기인하고
있습니다.

- BTS가 전하는 메시지

BTS 유엔 연설 중

"어제 실수를 했을지도 모르지만 그 어제의 저도
여전히 나입니다. 오늘, 저는 자신의 흠과 실수를
포장하며 제 자신이라는 사람과 함께 있습니다. 내일,
조금 더 현명해질 지도 모르고, 그것도 또한 나일
것입니다. 이 흠과 실수들이 나를 구성하는 것이며,
인생의 가장 빛나는 별들입니다. 나는 나를 사랑하게
되었습니다.

...(중략)...

여러분의 이름은 무엇인가요? 여러분을 흥분 시키고,
여러분의 심장을 뛰게 하는 것은 무엇인가요? 여러분의
이야기를 들려주세요. 여러분의 목소리를 듣고,
여러분의 확신을 듣고 싶습니다. 어떤 사람이든, 어느
곳에서 왔든, 피부색이나 성별 정체성에 상관없이,
여러분 자신을 말해 보세요. 여러분의 이름을 찾고,
여러분의 목소리를 찾아 스스로 표현해보세요."

2018 년 9 월, BTS 멤버들은 UN 에서 "Speak Yourself"
캠페인의 일환으로 연설했습니다. 그들은 청년들에게
자신의 목소리를 믿고 말하도록 격려했습니다. 또한,
꿈과 희망을 포기하지 말고, 자신의 존재가 중요하다는
메시지를 전달했습니다. 정체성에 대한 이해와 다양성

존중의 중요성을 강조하며, 모든 사람들이 자신의 목소리를 내어 표현할 수 있는 기회가 주어져야 한다고 말했습니다. 이를 통해 세계의 다양한 문화와 경험이 얼마나 중요한지 강조했습니다.

BTS의 유엔 연설에서의 핵심 포인트는 크게 두 가지로 요약할 수 있는데 첫 번째로, 그들은 청소년들에게 희망과 꿈을 심어주고, 어려움을 극복하며 성장하는 과정에서 얻은 교훈을 나누었습니다. 둘째로, 자기 표현의 중요성을 강조하며, 다양한 이야기와 의견이 세상을 더 풍요롭게 만든다는 메시지를 전달했습니다. 이러한 메시지를 통해 BTS는 단순한 연예인의 입장을 넘어, 긍정적인 영향력을 대중에게 전했습니다.

Love Yourself 프로젝트

BTS의 Love Yourself는 2017년부터 2019년까지 발매한 앨범과 활동을 통칭하는 이름입니다. 이 프로젝트는 "나 자신을 사랑하라"는 메시지를 담고 있습니다.

BTS는 Love Yourself 프로젝트를 통해 자신을 사랑하는 것이 가장 중요하다는 메시지를 전하고 있습니다. 그들은 자신을 사랑하는 것이 사회적 약자에 대한 차별과 편견을 극복하고, 더 나은 세상을 만드는 데에도 중요하다고 주장하며 Love Yourself 프로젝트는 다음과 같이 세가지로 구성되어 있습니다.

1. Know Yourself

첫 번째 단계인 "Know Yourself"는 자신을 알아가는 과정을 의미합니다. BTS 는 이 단계에서 자신의 정체성과 가치를 찾기 위해 노력하는 사람들에게 용기를 주고 있습니다.

DNA

"DNA"는 사랑이 운명적이고 불가피하게 이어지는 것처럼 느껴지는 순간을 노래하고 있습니다. 노래에서는 사랑하는 두 사람의 운명적인 연결과 유전자(DNA)의 유사성을 통해 그 사랑이 자연스럽게 흐르고 있다는 메시지를 전달합니다.

"널 위해서라면 난 슬퍼도 기쁜 척 할 수가 있었어, 널 위해서라면 난 아파도 강한 척 할 수가 있었어"

위 문장은 상대방을 위해 어떤 어려움이라도 이겨내고자 하는 강한 의지를 나타내며, 이는 자아 수용과 사랑을 향한 진심 어린 다짐을 담은 부분입니다.

노래 전체를 통틀어 "DNA"는 사랑이 우리의 본질에 깊숙이 자리하고 있으며, 그 운명적인 결합은 우리가 어떤 어려움이나 시련에 처해도 흔들릴 수 없는 힘을 부여한다는 메시지를 전달합니다.

Epiphany

Epiphany 는 자신의 정체성을 찾는 과정을 표현한 노래입니다. 자아를 찾아가는 여정과 성장에 중점을 두며 "Epiphany"는

Love Yourself 프로젝트의 중요한 부분을 이끌어내는 곡 중 하나로, 그 의미는 깊고 감동적입니다.

"I'm not perfect, I'm not everything"

"난 완벽하지 않아, 난 모든 것이 아니야"

"I'm the one I should love"

"내가 사랑해야 할 사람은 나야"

이 구절은 자신의 단점과 부족함을 인정하고, 있는 그대로의 자신을 사랑하는 법을 배우는 사람들의 모습을 표현하고 있습니다.

"Epiphany"는 자기 자신을 사랑하고 받아들이는 것의 중요성을 강조하며 가사에서는 다른 사람들에게 의존하지 않고 스스로를 사랑하는 것이 얼마나 중요한지를 다룹니다.

"I'm the one I should love in this world.(이 세상에서 사랑해야 할 사람은 나야.)"는 자기 자신을 사랑하는 것이 가장 중요하다는 강력한 메시지를 담고 있으며, 자기 자신을 사랑하고 받아들이는 것이 성장과 행복의 출발점이라는 주제가 여기서 두드러집니다. 또한 이는 Love Yourself 프로젝트에서 자아 수용과 사랑의 테마를 보다 깊게 다룬 부분 중 하나입니다.

2. Love Yourself

두 번째 단계인 "Love Yourself"는 자신을 사랑하는 과정을 의미합니다. BTS는 이 단계에서 자신을 사랑하는 것이 가장 중요하다는 메시지를 전하고 있습니다.

Fake Love

"Fake Love"는 가짜의 사랑과 진정한 사랑 사이의 갈등과 혼란에 대한 메시지를 담고 있습니다. 이 노래는 외면하는 것과 진정한 자아를 감추는 것으로부터 비롯된 사랑의 가짜성에 대한 불안과 갈등을 다룹니다. 가사에서는 감추고 속이는 것이 아닌 진실된 자아를 받아들이고 사랑하는 것의 중요성을 강조합니다.

"I'm so sick of this fake love"

"이 가짜 사랑에 지쳤어"

이 구절은 가짜 사랑에 대한 경고를 담으며 외면적인 모습만을 사랑하는 가짜 사랑에 빠지지 말 것을 경고하며, 진정한 사랑을 찾고자 하는 사람들의 마음을 표현한 것입니다.

"이뤄질 수 없는 꿈속에서 피울 수 없는 꽃을 피웠어."

이 부분은 꿈 속에서 현실화되지 못하는 꽃을 키우는 것과 같이, 가짜의 사랑과 희망으로 인해 현실적인 성취와 행복을 찾지 못하게 되는 상황을 표현합니다.

"Love you so bad, love you so bad"

이 가사의 반복은 가짜의 사랑에 대한 갈등과 무력함을 나타내며, 이는 자아를 속이고 숨기는 것이 어떻게 고통스러운 경험이 될 수 있는지를 보여줍니다.

"Fake Love"는 가짜의 사랑에 빠져들어 진정한 감정을 희생하는 것에 대한 불안과 갈등을 다루며, Love Yourself

프로젝트에서는 자아 수용과 진실된 사랑의 중요성에 대한 메시지를 탐구하고 있습니다.

Idol

"Idol"은 BTS 의 Love Yourself 프로젝트에서 나온 곡 중 하나로, 자기 자신을 사랑하고 표현하는 중요성에 대한 메시지를 담고 있습니다. "Idol"은 자아를 찾고 자신의 존재를 인정하는 것의 중요성에 중점을 둡니다. 곡의 가사와 퍼포먼스에서는 자신을 사랑하고 자랑스럽게 표현하는 것이 중요하며, 다양한 아이덴티티를 수용하고 존중하는 메시지를 전달합니다.

"You can't stop me loving myself"

"너는 날 사랑하는 걸 막을 수 없어"

"I'm proud of who I am"

"나는 내 자신이 자랑스러워"

이 부분는 자신을 사랑하고 존중하는 것이 가장 중요하다는 메시지를 담고 있습니다.

"You can call me artist. (나를 아티스트라고 불러줘)"는 다양한 아이덴티티와 역할을 수용하고 예술가로서의 정체성을 자랑스럽게 받아들이는 태도를 나타냅니다. 이는 자아를 찾고 다양성을 수용함으로써 창의성과 독창성을 발휘하는 것을 의미합니다.

"Idol"은 사회적인 기대에 휘둘리지 않고 자아를 인정하고 사랑하는 것이 중요하다는 메시지를 담고 있습니다. 이는 Love Yourself 프로젝트 전체의 주요 주제 중 하나로, 자기 자신을

사랑하는 것이 진정한 행복과 성취의 출발점이라는 인사이트를
전달하고 있습니다.

3. Speak Yourself

세 번째 단계인 "Speak Yourself"는 자신을 표현하는
과정을 의미합니다. BTS는 이 단계에서 자신을 사랑하는
사람은 자신의 목소리를 내야 한다고 주장합니다.

Black Swan

"Black Swan"은 BTS의 Love Yourself 프로젝트에서 나온
곡 중 하나로, 예술적인 열정과 창작의 중요성에 대한
메시지를 담고 있습니다. 곡은 무대에서 예술적인 표현을
잃을까 두려워하는 예술가의 내적 갈등과 불안에 중점을
둡니다.

곡의 제목인 "Black Swan"은 예술가들이 진정한 예술을
창작하는 데에 불안을 느낄 때 사용되는 용어입니다.
이는 무대나 작품에서의 실패, 예술적인 고뇌, 그리고
자아의 소멸과 관련된 주제를 다룹니다.

"Do your thang, Do your thang with me now"
"당신의 길을 나와 함께 가자."

이 구절는 예술가에게 자유롭게 창작하고 예술을
표현하는 것에 대한 자유를 부여하고, 함께 그리고
서로를 향해 진심으로 표현하라는 메시지를 전달합니다.

"Black Swan"은 예술의 본질에 대한 사색과 예술가의
내면 갈등을 다루며, 예술이라는 표현의 자유와 그에

따른 책임에 대한 이해를 촉구합니다. 이 곡은 예술의 중요성을 강조하면서도 그 속에서의 어려움과 불안을 솔직하게 다루고 있습니다.

Permission to Dance

"Permission to Dance" 이 노래는 긍정적이고 자유로운 분위기를 전하면서 코로나 19 로 인해 억눌렸던 자유와 희망을 노래하고 있습니다. 차별과 편견에 맞서, 자유와 희망을 되찾자는 메시지를 담고 있습니다.

"So when it all seems like it's wrong
Just sing along to Elton John
And to that feeling, we're just getting started"
"모든 것이 다 잘못된 것 같을 땐, 그냥 엘튼 존의 노래를 따라불러. 그 느낌대로, 우리 이제 시작이야."

여기서는 모든 것이 잘못된 것처럼 느껴질 때, 엘튼 존의 노래에 맞춰 노래하고, 그 기분에 우린 막 시작한 것 같다는 메시지가 담겨져 있습니다. 이는 어려운 순간에도 긍정적인 음악과 함께 힘을 내고 다시 일어날 수 있다는 희망을 전하고 있습니다.

"We don't need to worry. Cause when we fall, we know how to land"
"우린 걱정할 필요 없어. 왜냐하면 떨어지더라도 어떻게 착륙하는지 알거든."

이 부분은 걱정할 필요가 없다는 메시지를 전하며, 넘어질 때 어떻게 일어날지를 이미 알고 있다는 자신감을 나타냅니다. 이를 통해 어려움에도 불구하고 긍정적인 마음가짐으로 삶을 즐길 수 있다는 메시지가 전달됩니다.

위와 같이 연결된 BTS의 Love Yourself 프로젝트는 현대 사회를 살아가는 많은 사람들에게 공감을 얻었습니다. BTS의 음악은 시대의 요구에 부합하는 메시지를 담아내며, 전 세계인에게 공감과 감동을 줄 수 있는 문화 콘텐츠임을 보여주었습니다.

- BTS 뮤직비디오에 담긴 세계관

BTS의 뮤직비디오와 이야기는 방대하고 복잡한 세계관을 담고 있습니다. 이를 이해하기 위해선 BU(Bangtan Universe)가 핵심 개념이며, 각 시리즈는 이러한 세계관에서 파생되어 있으며, BTS의 음악과 스토리를 통해 전개됩니다.

1.BU (Bangtan Universe)

BU는 BTS의 뮤직비디오 속 이야기와 세계관을 지칭하는 용어로, 각 앨범과 뮤직비디오가 하나의 큰 이야기를 이루고 있습니다. BU에서의 이야기는 시간 여행, 현실과 환상의 경계, 자아 탐색 등 다양한 주제를 다루며, 이는 고도로 복잡하고 감동적인 이야기를 창조해냅니다.

2. HYYH (화양연화 The Most Beautiful Moment in Life) 시리즈

HYYH 시리즈는 BTS의 데뷔 초부터 2016년까지 발표한 앨범의 스토리를 담고 있습니다. 이 시리즈는 청춘의 아픔과 성장을 그립니다. 특히 "I NEED U," "RUN"등의 노래와 뮤직비디오에서 이야기가 전개됩니다.

3. WINGS 시리즈

WINGS 시리즈는 2016년부터 2017년까지 발표한 앨범의 스토리를 담고 있습니다. 이 시리즈는 청춘이 마주한 선택의 기로와 그에 따른 고뇌, 그리고 타락과 구원의 이야기를 담고 있습니다. "Blood Sweat & Tears"와 "피 땀 눈물" 등의 곡이 주요 콘텐츠로, 각 멤버들이 유혹과 맞서 싸우는 내러티브를 보여줍니다.

4. LOVE YOURSELF 시리즈

LOVE YOURSELF 시리즈는 2017년부터 2018년까지 발표한 앨범의 스토리를 담고 있습니다. LOVE YOURSELF 시리즈는 자아 발견과 사랑에 대한 이야기를 담고 있으며 자신을 사랑하는 법을 깨닫는 과정을 그리고 있습니다. "Euphoria," "Fake Love," "Epiphany" 등의 곡이 주요 내용을 이끌어내며, 각 멤버들의 관계와 성장을 그립니다.

5. MAP OF THE SOUL 시리즈

MAP OF THE SOUL 시리즈는 2019 년부터 2020 년까지 발표한 앨범의 스토리를 담고 있습니다. 이 시리즈는 자신을 찾는 여정을 그리며 심리학적 주제에 중점을 둔 이야기를 전개하고 있습니다. "Persona," "Shadow," "Ego" 등의 곡이 주요 콘텐츠로, 멤버들의 내면과 외면을 탐구합니다.

6. BE 시리즈

" BE 시리즈는 2020 년 발표한 앨범의 스토리를 담고 있습니다. 이 시리즈는 코로나 19 팬데믹 시대에 대한 BTS 의 생각을 담고 있으며, "Life Goes On"과 "Dynamite" 등의 곡이 주목받았습니다. 이는 뮤직비디오와 함께 일상의 변화와 희망을 다루고 있습니다.

뮤직비디오 속 멤버들의 상징성은 각자의 개성과 연결돼 있습니다. 예를 들어, 뷔는 날개를 상징하며 자유롭고 아름다운 존재로, 지민은 나비로 자아의 변화와 성장을 의미합니다. 또한, 뮤직비디오 속 스토리와 연출은 상징적인 이미지와 함께 감정과 메시지를 풍부하게 전달합니다. BU 는 각 앨범을 통해 새로운 측면을 발견하고 이해할 수 있는 창의적인 세계로서, 이는

BTS 의 예술적 표현력과 팬들과의 상호작용의
일환이기도 합니다.

- BTS 세계관 멤버들의 이야기

BU 의 세계관은 아직 진행중이기 때문에, BTS 의
뮤직비디오 속 멤버들의 트라우마와 극복 과정은 아직
완성되지 않았습니다.
BU 의 이야기는 여전히 해석의 여지가 많고, 공식적으로
밝혀진 부분이 제한적이기 때문에 그 일부만을 전달하고
있습니다.

석진(진)

석진은 교장의 스파이 역할을 하며 교장의 통제와 지시를
당하고 있습니다. 석진은 교장을 통해 세상의 어두운
면을 보게 되고, 자신의 음악이 세상에 어떤 영향을 미칠
수 있는지 생각하게 됩니다.
석진에게 인이어는 석진이 교장의 스파이를 할 때 사용한
도구로 교장의 통제와 지시 아래에 있다는 것을
보여줍니다. 그리고 빨간약은 교장의 부당한 권력을
상징하며 교장의 영향력에 벗어나지 못한 모습을
상징합니다.

BTS의 뮤직비디오 "Black Swan"에서는 석진이 교장의
스파이를 하며, 교장의 비밀을 파헤치는 모습을
보여줍니다. 그는 교장의 비밀을 알게 된 후, 교장에게
복수하기 위해 교장실로 찾아갑니다.
석진은 교장에게 맞서며 다음과 같이 말합니다.
"당신은 나를 괴롭혔지만, 나는 당신을 용서할 수
없습니다. 당신은 나에게 상처를 줬고, 내 친구들을
괴롭혔습니다."
석진은 교장과 맞서 싸우며, 자신의 트라우마를
극복하고자 하는 강한 의지를 보여줍니다. 그는 교장의
괴롭힘에 맞서 싸우며, 자신의 힘을 발견했습니다. 또한,
친구들의 도움으로 사랑과 소속감을 느낄 수 있었습니다.
석진에게는 타임리프 능력이 있습니다. 석진은 타임리프
능력을 사용하여, 자신의 과거를 바꾸고, 더 나은 삶을
살고 싶었습니다. 그는 4월 11일로 시간을 되돌아가,
멤버들의 불행을 막고, 행복한 결말을 만들고 싶었습니다.
석진의 노력으로, 멤버들의 불행은 어느 정도 막을 수
있었습니다. 하지만 그는 결국, 모든 멤버들을 구하지
못했습니다.
그로 인해 석진은 "과거는 바꿀 수 없다. 하지만 우리는
현재를 바꿀 수 있다. 우리의 선택은 미래를 만든다,"는
깨달음을 얻습니다. 석진은 자신의 타임리프 능력을
사용하여, 더 나은 미래를 만들기 위해 노력하고

있습니다. 그는 자신의 경험을 통해 많은 사람들에게 다음과 같은 메시지를 전하고 있습니다.

"과거에 연연하지 말고, 현재를 살아가세요. 당신의 선택은 미래를 결정합니다"

태형(뷔)

태형은 어린 시절, 아버지의 폭력으로 인해 트라우마를 경험했습니다. 그는 아버지의 폭력으로 인해, 두려움, 분노, 우울감 등을 느꼈습니다. 태형은 자신의 트라우마를 극복하기 위해 노력했습니다. 그는 음악에 몰두하며, 자신의 감정을 표현하고, 치유하려고 노력했습니다. 태형의 음악에는 아버지의 폭력에 대한 고통과 분노가 담겨 있습니다. 그는 자신의 트라우마를 솔직하게 이야기하며, 사람들에게 공감과 위로를 전하고 있습니다.

그래피티의 의미

태형에게 그래피티는 자신의 트라우마를 표현하는 수단입니다. 그는 그래피티를 통해, 아버지의 폭력에 대한 고통과 분노를 표현하고 있습니다. 태형은 그래피티를 통해 트라우마는 누구나 겪을 수 있는 일이며, 트라우마를 극복하기 위해서는 용기와 노력이 필요하고, 예술은 트라우마를 극복하는 데 도움이 될 수 있다는 메시지를 전달합니다.

태형은 아버지의 폭력으로 인해 큰 트라우마를 경험했습니다. 그는 이러한 트라우마로 인해 두려움,

분노, 우울감 등을 느꼈습니다. 이런 태형은 음악에
몰두하며, 자신의 감정을 표현하고, 치유하려고
노력했습니다. 그는 자신의 트라우마를 솔직하게
이야기하며, 사람들에게 공감과 위로를 전했습니다.
태형의 노력으로 그는 점차 트라우마를 극복해나가고
있습니다. 그는 이제 아버지의 폭력에 대한 두려움을
떨쳐버렸고, 자신의 트라우마를 받아들일 수 있게
되었습니다.

태형은 자신의 트라우마를 극복하기 위해 노력하면서,
다음과 같은 깨달음을 얻었습니다.

'아버지는 나를 사랑하기 때문에 폭력을 휘두른 것이 아니라,
자신의 상처를 나에게 투영한 것이다. 나는 아버지의 폭력에
의해 정의되지 않는다. 나는 사랑받고 존중받을 가치가 있는
사람이다.'

이러한 깨달음을 통해 태형은 자신의 트라우마를
극복하고, 더 나은 사람이 되기 위해 노력하고 있습니다.

지민

지민은 어린 시절, 풀꽃 수목원에서 아동성폭력을
경험했습니다. 그로 인해 그는 풀꽃수목원에 대한
트라우마와 물을 무서워하는 증상을 갖게 되었습니다.
또한 이성에게 조금만 닿아도 트라우마가 커지는 모습을
보입니다. 예를 들어, 지민은 멤버들과 스킨십을 할 때,
불편한 모습을 보이기도 하는데 이는 지민이 풀꽃

수목원에서 아동성폭력을 당했을 때, 이성에게 강제로 닿았던 경험이 트라우마로 남아 있기 때문일 수 있습니다. 하지만 지민은 트라우마를 극복하려고 노력합니다. 그는 점차 물 공포증을 극복해 나가고 이제 물놀이를 즐길 수 있게 되었습니다.

또한 지민은 적극적으로 트라우마를 극복하기 위해 윤기에게 같이 풀꽃 수목원에 가줄 수 있냐고 물어봅니다. 이 장면은 <피땀눈물> 뮤직비디오에서 윤기가 지민을 데리고 풀꽃 수목원으로 데려가는 모습으로 나오며 이 장면은 지민이 자신의 트라우마를 극복하기 위해 노력하는 모습을 묘사한 것으로 해석할 수 있습니다. 윤기는 지민의 눈을 가림으로써, 그가 풀꽃 수목원에 대한 기억을 떠올리지 못하도록 합니다.

또한 지민은 춤을 통해 처음으로 자신을 사랑하는 법에 대해서 배우게 됩니다. 어릴 때 자신을 사랑하지 못했던 지민은 춤은 연습할 때마다 실력이 늘어나며 이를 통해 자신이 성장하고 있다고 믿게 됩니다. 그는 춤을 통해 자신의 감정과 생각을 표현하고 자신을 사랑하는 법을 배우게 됩니다.

호석(제이홉)

호석은 어린 시절, 어머니의 학대와 방임을 경험했습니다. 그는 어머니에게 사랑과 관심을 받기 위해, 자신의 몸에 상처를 입히고, 질병을 연기하는 등의 행동을 보였습니다.

호석의 이러한 행동은 뮌하우젠 증후군으로
진단되었습니다. 뮌하우젠 증후군은 자신의 병이나
상처를 과장하거나, 스스로 만들어내는 정신 질환입니다.
호석의 뮌하우젠 증후군은 자신의 몸에 상처를 입히는
행동이나 질병을 연기하는 행동, 병원에 자주 입원하는
행동이나 의료진을 속이는 행동으로 나타났습니다.
또한 호석은 어린 시절 어머니가 그를 버리고 떠난
트라우마를 가지고 있습니다. 이 사건은 호석에게 큰
상처로 남았습니다. 그는 어머니에 대한 그리움과 분노,
외로움을 잊지 못했습니다.
호석은 트라우마를 극복하기 위해 춤에 몰두했습니다.
그는 춤을 통해 자신의 감정을 표현하고, 치유하려고
노력했습니다. 호석의 음악에는 어머니에 대한 그리움과
사랑, 그리고 트라우마에 대한 고통이 담겨 있습니다.
그는 자신의 트라우마를 솔직하게 이야기하며,
사람들에게 공감과 위로를 전하고 있습니다.
초코바의 의미
호석의 음악에서 자주 등장하는 초코바는 그의 어머니를
상징합니다. 호석은 어머니가 초코바를 좋아했다고 밝힌
바 있습니다. 또한 초코바는 호석의 어머니가 그에게
남긴 마지막 선물로 볼 수 있습니다. 호석은 초코바를
통해 어머니에 대한 그리움을 표현하고 어머니에 대한

사랑을 기억하며, 치유와 회복을 위한 희망을 전하고 있습니다.

호석은 어머니의 부재로 인해 큰 트라우마를 경험했습니다. 그는 이러한 트라우마로 인해 외로움, 분노, 공허함, 우울감 등을 느꼈습니다. 호석은 춤에 몰두하며, 자신의 감정을 표현하고, 치유하려고 노력했습니다. 그는 자신의 트라우마를 솔직하게 이야기하며, 사람들에게 공감과 위로를 전했습니다. 호석의 노력으로 그는 점차 트라우마를 극복해나가고 있습니다. 그는 자신의 트라우마를 통해 성장했고, 더 강한 사람이 되었습니다. 호석은 자신의 트라우마를 극복하기 위해 노력하면서, 다음과 같은 깨달음을 얻었습니다.

'어머니는 그를 버린 것이 아니라, 어쩔 수 없는 상황에 처해 그런 선택을 했을 수 있다. 그는 어머니를 원망할 필요가 없으며, 그는 자신의 삶을 스스로 책임져야 한다.'

이러한 깨달음을 통해 호석은 어머니에 대한 그리움과 분노를 내려놓고, 자신의 삶을 살아갈 수 있게 되었습니다.

윤기(슈가)

윤기는 어린 시절 화재로 인해 어머니를 잃었습니다. 이 사건은 슈가에게 큰 트라우마로 남았습니다. 그는 어머니를 잃은 슬픔과 분노, 공포를 잊지 못했습니다. 윤기는 이러한 트라우마를 극복하기 위해 음악에 몰두했습니다. 그는 음악을 통해 자신의 감정을 표현하고, 치유하려고 노력했습니다. 윤기의 음악에는 어머니에 대한 그리움과 사랑, 그리고 트라우마에 대한 고통이 담겨 있습니다. 그는 자신의 트라우마를 솔직하게 이야기하며, 사람들에게 공감과 위로를 전하고 있습니다. 윤기의 음악에서 자주 등장하는 불타는 피아노는 그의 어머니를 상징합니다. 윤기는 어머니가 피아노를 좋아했다고 밝힌 바 있습니다. 따라서 불타는 피아노는 슈가의 어머니가 화재로 인해 사라진 것을 의미합니다. 윤기의 음악에서 불타는 피아노는 어머니를 잃은 슬픔과 분노, 트라우마에 대한 고통과 치유와 회복을 담고 있습니다. 윤기는 불타는 피아노를 통해 어머니에 대한 그리움과 사랑을 표현하고 있습니다. 또한, 트라우마에 대한 고통을 솔직하게 이야기하며, 치유와 회복을 위한 희망을 전하고 있습니다.

윤기는 음악에 몰두하며, 자신의 감정을 표현하고, 치유하려고 노력했습니다. 그는 자신의 트라우마를

솔직하게 이야기하며, 사람들에게 공감과 위로를
전했습니다.

남준(RM)

남준은 어릴 때부터 가난한 가정에서 자랐습니다. 그의
아버지는 병으로 일을 할 수 없었고, 그의 어머니는
가난함에 지쳐있었습니다. 그의 친동생은 방황을 하며,
이런 가족은 남준에게 가장의 부담을 떠넘겼습니다.
남준은 이러한 가정환경 속에서, 어린 나이에 어른이
되어야 했습니다. 그는 가족을 부양하기 위해, 공부를
포기하고, 아르바이트를 하며 돈을 벌었습니다.

"살아남아야 한다"

남준은 "살아남아야 한다"는 말을 자주 씁니다. 이는
남준이 살아남기 위해 노력해온 자신의 삶을 반영하는
말입니다 남준은 가난과 역경 속에서도, 살아남기 위해
노력했습니다. 그는 가족을 부양하기 위해, 꿈을
포기하고, 힘든 일을 마다하지 않았습니다.
남준의 "살아남아야 한다"는 말은, 다음과 같은 의미를
담고 있습니다.
어려운 상황 속에서도 포기하지 않고 살아남기 위한 노력.
가족을 부양하고, 행복한 삶을 살기 위한 의지.
훗날 멤버들에게 전하는 메시지.

정국

정국은 2016년 교통사고를 당했습니다. 이 사고로 인해
그는 심각한 부상을 입었습니다. 정국은 사고 이후,
자신의 꿈과 희망을 잃어버린 것 같은 느낌을
받았습니다. 또한 정국은 윤기의 퇴학에 석진이가
연관되었음을 알게 되자 석진에 대한 배신감으로 자신의
꿈화 희망을 상징하는 스메랄도를 파괴하였습니다. 그는
스메랄도를 파괴함으로써, 과거의 아픔과 상처를 버리고,
새로운 시작을 다짐하고자 했습니다.

정국은 다음과 같은 말로 스메랄도를 파괴한 이유를
설명했습니다. "사고 이후, 저는 꿈과 희망을 잃어버린 것
같은 느낌을 받았습니다. 그래서 스메랄도를
파괴함으로써, 과거의 아픔과 상처를 버리고, 새로운
시작을 다짐하고자 했습니다."

그는 사고 이후, 불안감, 우울감, 공황장애 등의 증상을
경험했습니다. 정국은 교통사고를 통해, 삶의 소중함과
감사함을 깨달았습니다. 그는 더 이상 자신의 꿈과
희망을 포기하지 않기로 결심했습니다.

정국은 자신의 트라우마를 극복하기 위해 노력하면서,
삶은 언제든지 예기치 못한 일로 인해 깨질 수 있지만,
우리는 그럼에도 불구하고, 다시 일어나서 꿈을 향해
나아가야 한다고 말하고 있습니다.

- BTS 성공요인 분석

BTS 를 만든 기획사 빅히트 엔터테인먼트는
중소기획사로 시작해 자본력이 넉넉하지 않은
상태였습니다. 그래서 대형 기획사와는 차별화된
전략을 내세우게 됩니다.

1.진정성과 음악적 품질

빅히트는 음악에 대한 진정성을 강조하고 품질을
높이는데 주력했습니다. 모든 멤버가 데뷔 초부터
작사와 작곡에 참여하면서 각자의 예술적 색깔을
표현했습니다. 이는 단순한 아이돌 그룹이 아니라
진정한 아티스트로서의 존재로 인식되도록 했습니다.

2.타겟 마케팅과 소수 마니아

대형 기획사들과 차별화하기 위해 빅히트는 소수
마니아를 명확하게 타겟으로 삼았습니다. 초기에는
미국 내 소수민족, 유학생, 성소수자 등의 사회적
약자를 중심으로 한 팬덤을 형성하여 강력한 팬덤을
구축했습니다.

3. 유튜브를 통한 디지털 전략

빅히트는 새로운 유통채널에 집중했습니다. BTS 데뷔
시점과 비슷한 시기에 유튜브는 급격한 성장을 하게

됩니다. 하지만 유튜브에 대한 대형 기획사들의 무관심을 파악하고, 이를 통해 유튜브 활동에 집중했습니다. BTS는 활동을 쉬는 기간에도 일상영상이나 소통영상, 연습영상 등 지속적인 업로드를 통해 팬들과의 소통 강화와 광범위한 노출을 이루어냈으며, 이는 빅히트가 독창적인 마케팅과 팬 커뮤니케이션 방식을 선보이게 된 핵심적인 전략이었습니다.

4.음반의 세계관과 깊은 소통

BTS는 음반을 통해 하나의 세계관을 구축하고, 멤버들의 내면과 철학이 담긴 캐릭터를 통해 깊은 공감을 이끌어냈습니다. 이는 팬들과의 더 깊은 소통과 이해를 가능하게 하여 팬들이 그들과 강한 유대감을 형성하도록 했습니다.

5.사회적 메시지와 치유의 역할

BTS의 음악은 초창기부터 사회적 약자들에게 희망과 치유의 메시지를 전달했습니다. 특히 미국 아미들 중에서는 인종 갈등, 소수민족에 대한 혐오 등을 경험한 팬들이 BTS의 음악을 통해 위로와 용기를 얻게 되면서, 이는 강력한 사회적 메시지와 결속을 형성하게 되었습니다. 아직도 끝나지 않은 인종갈등 문제에 소수는 혐오의 대상이 되기 쉽습니다. 사회적 약자들은 소외감과 상처를 가지고 지내는데 BTS의 음악은 '지금 너의 모습 그대로 괜찮다'고 말하며 이런 사회적 약자들의 마음을 치유해줍니다. 하지만 열등감은 약자만 느끼는 감정이 아닙니다. 경쟁의 무한 굴레에서 벗어나고 싶은 마음, 인스타그램 속 세상에 비해 초라한 현실의 나. 이는 BTS의 음악에 누구나 공감을 할 수 있다는 이야기로 표현됩니다. 이에 빅히트의 방시혁 대표는 이렇게 말합니다. "소수를 향한 메시지였지만, 시대를 관통하는 보편적 메시지였다."

6.진정성 기반의 팬덤

BTS는 진정성을 바탕으로 한 강력한 팬덤을 구축했습니다. 팬들과의 관계가 일종의 공동체로 발전하며, 팬들 간의 경계가 허물어지면서 상호작용이 활발해졌습니다.

04
대화의 미래:
예술 브랜드의 역할

- 대화의 중요성

대화는 인간의 삶에서 매우 중요한 요소 중 하나입니다.
대화는 인간과 인간 사이의 소통을 촉진하고, 서로의
생각과 감정을 공유할 수 있는 수단입니다. 대화를 통해
우리는 서로의 생각과 감정을 이해하고, 서로의 의견을
존중할 수 있습니다.
대화는 인간의 사회적 관계를 형성하는 데에도 중요한
역할을 합니다. 대화를 통해 우리는 서로의 관심사를
공유하고, 서로의 관계를 더욱 발전시킬 수 있습니다.
또한, 대화를 통해 우리는 서로의 문제를 해결하고,
서로의 성장을 도울 수 있습니다.
또한 대화는 인간의 창의성을 증진시키는 데에도 중요한
역할을 하는데, 대화를 통해 우리는 서로의 아이디어를
공유하고, 서로의 창의성을 자극할 수 있습니다. 뿐만
아니라, 대화를 통해 우리는 서로의 생각을 발전시키고,
새로운 아이디어를 창출할 수 있습니다.
대화를 통해 우리는 스트레스를 해소하고, 마음의 안정을
찾을 수 있으며 이는 인간의 건강에도 영향을 미친다고
말할 수 있습니다. 또한, 대화를 통해 우리는 서로의
고민을 나누고, 서로의 조언을 얻을 수 있습니다.
따라서, 대화는 인간의 삶에서 매우 중요한 요소 중
하나입니다. 우리는 일상생활에서 대화를 적극적으로

활용하고, 서로의 생각과 감정을 공유하며, 서로의 관계를
발전시켜야 합니다. 또한, 대화는 우리의 문제를
해결하고, 서로의 성장을 도울 수 있으며, 서로의
창의성을 증진 시킬 수 있는 필수적인 요소입니다.

- 대화는 인간의 본질적인 욕구

인간은 사회적 동물로서 타인과의 관계를 통해
살아갑니다. 이러한 관계를 형성하고 유지하기
위해서는 대화가 필수적입니다. 대화는 인간에게
본질적인 욕구 중 생리적 욕구, 안전 욕구, 소속과
사랑의 욕구, 자아실현의 욕구를 충족시키는 데
필수적입니다.
인간에게 본질적인 욕구는 생리적 욕구로서 식욕,
수면욕, 성욕 등이 포함됩니다. 또한 안전 욕구는
신체적, 심리적
위협으로부터 자신을 보호하고자 하는 욕구로 안전한
환경에서 생활하고자 하는 욕구, 불안과 공포를
피하고자 하는 욕구 등이 포함됩니다. 그리고 소속과
사랑의 욕구는 타인과의 관계를 통해 정체성을
확립하고, 사랑받고자 하는 욕구로 가족, 친구, 연인

등과 친밀한 관계를 맺고자 하는 욕구, 타인으로부터
인정받고 싶어 하는 욕구 등이 포함됩니다. 마지막으로
자아실현의 욕구는 자신의 잠재력을 최대한 발휘하고자
하는 욕구로 자신의 재능과 능력을 개발하고자 하는
욕구, 세상에 긍정적인 영향을 미치고자 하는 욕구
등이 포함됩니다.

대화가 인간에게 꼭 필요한 이유는 소속과 사랑의
욕구를 충족시키기 위함입니다. 대화를 통해 우리는
타인과 공감하고, 이해하며, 관계를 형성할 수 있으며,
사람과 사람을 이어주는 다리 역할을 합니다. 이러한
관계는 우리에게 안정감과 행복감을 제공합니다. 또한,
대화를 통해 우리는 공동의 목표를 달성하고, 문제
해결에 도움이 될 수 있습니다. 대화는 서로의 생각을
조율하고, 협력하며, 개인의 발전과 사회 발전에
기여합니다. 뿐만 아니라, 대화를 통해 우리는 새로운
생각과 정보를 얻고, 자신의 생각을 정리할 수 있고
이는 사고력과 창의력의 향상에 도움이 됩니다.

이처럼 대화는 이간의 본질적인 욕구를 충족시키고,
삶의 질을 높이는데 중요한 역할을 합니다. 대화를
통해 타인과 소통하는데 노력함으로써 더욱 풍요로운
삶을 살아갈 수 있습니다.

- 대화는 이해와 공유, 협력을 위한 필수 요소

대화는 이해와 공유, 협력을 위한 필수 요소입니다. 인간의 삶에서 매우 중요한 역할을 하는데, 대화를 통해 우리는 서로의 생각과 감정을 공유하며 소통을 촉진할 수 있습니다. 인간과 인간 사이의 연결고리로 작용하는 대화는 두 사람 간의 깊은 이해와 공감을 가능하게 합니다.

대화를 통해 우리는 상대방의 의견을 이해하고, 서로의 감정을 공유할 수 있습니다. 이는 서로의 관계를 더욱 깊게 형성하고, 상호 신뢰를 구축하는 데 기여합니다. 또한, 대화를 통해 우리는 서로의 생각을 이해하고, 서로의 의견을 존중할 수 있습니다. 이는 각자의 독특한 관점을 존중하며, 서로의 차이를 긍정적으로 인식하는 데 도움이 됩니다.
더불어 대화는 협력을 위한 필수 도구로 작용하기도 합니다. 서로의 생각과 아이디어를 나누고 조율함으로써 우리는 공동의 목표를 달성하는 데 도움을 줄 수 있습니다. 이는 단순한 의사소통을 넘어서서 창의적인 문제 해결과 혁신적인 아이디어의 탄생을 이끌어냅니다.

뿐만 아니라 대화는 문제 해결에도 기여합니다. 서로의 관점을 이해하고 합의점을 찾는 과정을 통해 우리는 갈등을 해소하고, 효과적인 문제 해결을 이룰 수 있습니다. 이는 개인 차원에서부터 조직이나 사회 전반에 이르기까지 긍정적인 영향을 끼칩니다.

대화는 이해와 공유, 협력을 위한 필수 요소로서 우리의 개인적인 성장과 사회적인 발전에 기여하는 중요한 수단이 됩니다. 인간의 삶에서는 대화를 통해 상호 이해와 소통을 이루어 내는 것이 더 풍요로운 인간관계와 긍정적인 사회적 활동을 가능케 하는 중요한 도구로 작용합니다.

- 예술 브랜드의 전망

예술 브랜드는 최근 들어 많은 관심을 받고 있는 분야 중 하나입니다. 예술 브랜드는 예술과 브랜드를 결합하여 새로운 가치를 창출해 사람을 잇는 것을 목적으로 합니다.
예술 브랜드는 미래의 대화 수단으로서 기대감을 높입니다. 과거의 면대면 대화에서 현재의 디지털 대화로 넘어오면서 예술 브랜드는 미래의 대화로 주목됩니다.

이러한 예술 브랜드는 감정과 메시지를 전달하는데
효과적으로 다음과 같은 특징을 가집니다.

감정적 유대감 형성

예술 브랜드는 감정을 자극하는 요소를 많이 포함하고
있습니다. 따라서 예술 브랜드를 통해 대화를 나누는
사람들은 감정적 유대감을 형성하기 쉽습니다. 예를 들어,
음악은 감정을 표현하는 데 가장 효과적인 예술 작품 중
하나로 음악을 통해 대화를 나누는 사람들은 감정적
유대감을 형성하기 할 수 있습니다.

새로운 관계 형성

예술 브랜드는 다양한 사람들이 함께 즐길 수 있는
콘텐츠가 될 수 있습니다. 따라서 예술 브랜드를 통해
대화를 나누는 사람들은 새로운 관계를 형성하기
쉽습니다.

새로운 의미 발견

예술 브랜드는 새로운 의미를 제시하는 힘을 가지고
있습니다. 따라서 예술 브랜드를 통해 대화를 나누는
사람들은 새로운 의미를 발견할 수 있습니다. 예술
브랜드를 통한 대화는 인간 사회의 발전에 새로운
가능성을 제시합니다. 예술 브랜드는 감정과 관계를
형성하고, 새로운 의미를 발견하는 데 도움을 줍니다.
이런 것들을 토대로 예술 브랜드는 미래의 대화로서 인간
사회의 발전에 기여할 수 있을 것으로 기대됩니다. 예술

브랜드는 감정과 관계를 형성하고, 새로운 의미를 발견하는 데 도움이 될 것입니다.

또한, 예술 브랜드는 미래에도 계속해서 성장할 것으로 예상됩니다. 예술은 인간의 창의성과 감성을 자극하는 분야이기 때문에, 미래에는 더욱 중요한 역할을 할 것입니다.

- 예술 브랜드의 사회적 역할 확대

예술 브랜드는 단순히 예술 작품이나 예술가를 넘어, 사회와 소통하고, 가치를 창출하는 중요한 역할을 할 수 있습니다. 예술 브랜드의 사회적 역할 확대는 다음과 같은 측면에서 이루어질 수 있습니다.

예술의 대중화

예술 브랜드는 예술의 대중화를 촉진함으로써, 예술의 사회적 역할을 확대할 수 있습니다. 예술 브랜드는 예술 작품이나 예술가를 대중에게 쉽게 접근할 수 있도록 합니다. 이는 예술에 대한 사회적 관심을 높이고, 예술의 저변을 확대하는 데 기여합니다.

예술의 다양성 증진

예술 브랜드는 예술의 다양성을 증진함으로써, 예술의 사회적 역할을 확대할 수 있습니다. 예술 브랜드는 다양한 예술 작품이나 예술가를 소개합니다. 이는 대중에게 다양한 예술을 경험할 수 있는 기회를 제공하고, 예술의 창의성을 자극하는 데 기여합니다.

예술의 사회적 참여

예술 브랜드는 예술을 통해 사회 문제에 대한 인식을 높이고, 사회적 변화를 이끌어냄으로써, 예술의 사회적 역할을 확대할 수 있습니다. 대표적인 사례로는 환경 문제, 인권 문제, 평화 문제 등을 다루는 예술 작품이나 예술 활동이 있습니다.

예술 브랜드의 사회적 역할 확대를 위해서는 다음과 같은 방안이 필요합니다.

예술 브랜드의 사회적 책임 강화

예술 브랜드는 예술의 사회적 역할을 인식하고, 사회적 책임을 다해야 합니다. 예술 브랜드는 예술을 통해 사회에 긍정적인 영향을 미치기 위해 노력해야 합니다.

예술 브랜드의 협력 확대

예술 브랜드는 서로 협력하여 예술의 사회적 역할을 확대할 수 있습니다. 예술 브랜드는 다양한 분야의 예술 브랜드와 협력하여, 예술의 저변을 확대하고, 사회적 문제를 해결하기 위한 노력을 강화할 수 있습니다.

예술 브랜드의 대중과의 소통 강화

예술 브랜드는 대중과 소통을 강화하여, 예술의 사회적 역할을 확대할 수 있습니다. 예술 브랜드는 대중의

관심과 요구를 파악하고, 대중과 공감할 수 있는 예술
활동을 전개해야 합니다.

이를 통해 예술 브랜드의 사회적 역할 확대는 예술의
발전과 사회의 발전에 기여할 수 있습니다. 예술
브랜드가 예술의 사회적 책임을 다하고, 협력을 강화하며,
대중과의 소통을 강화한다면, 예술 브랜드의 사회적 역할
확대는 더욱 가속화될 것입니다.

예술 브랜드의 사회적 역할 확대는 예술이 단순히 감상
대상이 아니라, 삶의 일부로 자리 잡고, 사회에 긍정적인
영향을 미칠 수 있는 잠재력을 실현하는 데 기여할
것입니다. 예술 브랜드가 예술의 본질을 존중하고,
다양성을 유지하며, 사회적 책임을 다한다면, 예술
브랜드의 사회적 역할 확대는 예술의 미래를 밝게 할
것입니다.